JEFF KINNEY'NİN DİĞER KİTAPLARI

Çeviri: Kenan Özgür

Wimpy Kid

SAFTİRİK

GREG'İN GÜNLÜĞÜ

PANİK YOK!

Jeff Kinney

epsilon®

SAFTİRİK Greg'in Günlüğü
PANİK YOK!

Orijinal Adı: Diary Of a Wimpy Kid: Cabin Fever
Yazarı: Jeff Kinney
Genel Yayın Yönetmeni: Meltem Erkmen
Çeviri: Kenan Özgür
Düzenleme: Gülen Işık
Düzelti: Fahrettin Levent
Kapak Uygulama: Berna Özbek Keleş

1. Baskı: Kasım 2011

ISBN: 978-9944-82-467-5

© Epsilon Yayıncılık Hizmetleri Tic. San. Ltd. Şti.

Baskı ve Cilt: Kitap Matbaacılık
Davutpaşa Cad. No: 123 Kat: 1 Topkapı-İst
Tel: (0212) 482 99 10 (pbx)
Fax: (0212) 482 99 78
Sertifika No:16053

Yayımlayan:
Epsilon Yayıncılık Hizmetleri Tic. San. Ltd. Şti.
Osmanlı Sk. Osmanlı İş Merkezi No: 18 / 4-5 Taksim/İstanbul
Tel: 0212.252 38 21 pbx Faks: 252 63 98
İnternet adresi: www.epsilonyayinevi.com
e-mail: epsilon@epsilonyayinevi.com

TICHINO'YA

KASIM

<u>Cumartesi</u>

Bir sürü insan tatilleri ve bayramları dört gözle bekler. Oysa Şükran Günü ile Noel arasındaki boşluk benim için çok sinir bozucu. Yılın ilk on bir ayında yanlış bir şey yaparsan, pek mesele olmaz. Ama bu dönemde yanlış bir şey yaparsan, bedelini ağır ödersin.

Bir ay boyunca uslu davranmaya çalışmak çok zor. Ben en fazla üst üste altı ya da yedi gün uslu davranmayı başarıyorum. Bu yüzden, Şükran Günü'nü Noel'in bir hafta öncesine alsalar, çok memnun olurdum.

Ailesi Noel'i kutlamayan çocuklar çok şanslı cünkü yılın bu döneminde yanlış bir şey yaptıklarında strese girmek zorunda değiller. Bu kategoriye giren birkaç arkadaşım var. Sırf hazır ellerine fırsat geçti diye bugünlerde daha fazla yaramazlık yapıyorlar.

Beni ASIL geren şey, şu Noel Baba meselesi. Noel Baba'nın insanı uyurken görebilmesi ve ne zaman uyanık olduğunu bilmesi beni sinir ediyor. Ben de eşofmanla yatmaya başladım çünkü Noel Baba'nın beni iç çamaşırımla görmesini hiç mi hiç istemem.

Noel Baba'nın yirmi dört saat boyunca gözünü bir insanın üzerinden ayırmayacak kadar vakti olduğuna inanmıyorum. Bence her çocuğu yılda bir ya da iki kez birkaç saniye gözleyebilir. Şansıma, o da benim en utanç verici anlarıma denk gelir.

Eğer Noel Baba GERÇEKTEN yaptığımız her şeyi görebiliyorsa, başım dertte demektir. Bu yüzden Noel Baba'ya mektup yazarken, ne istediğimi filan söylemiyorum. Mektuplarımı kendimi olabildiğince aklamak ve şirin göstermek için kullanıyorum.

Sevgili Noel Baba

Uzaktan öyle görünmüş olabilir ama ben Bayan Taylor'ın kedisine çürük elma atmadım.

Saygılarımla
Greg Heffley

Bir de şu sürekli konuştukları "Yaramaz mı Uslu mu" listesi var Bunu hep duyarsın ama asla GÖREMEZSİN. Bu yüzden belirli bir zamanda listede nerede durduğun tamamen büyüklere kalmıştır. Bu da pek doğru gelmiyor bana.

BU POŞETLERİ TAŞIMAMA YARDIM EDERSEN, NOEL BABA'NN "USLULAR" LİSTESİNE GİRECEĞİNDEN EMİNİM!

Listenin ne kadar doğru olduğunu merak ediyorum cidden. Bizim sokağın karşısında oturan Jared Pyle adında bir çocuk var. "Yaramazlar" listesinde olmayı hak eden BİRİ varsa, o da Jared'dır. Ama geçen yıl Noel'de kendisine gıcır gıcır bir bisiklet geldi. Noel Baba bunu NEDEN yaptı, HİÇBİR fikrim yok.

Endişelenmem gereken tek konu Noel Baba
da değil. Geçen yıl annem eski kutuları
karıştırırken, kendi çocukluğundan kalma el
yapımı bir bebek buldu.

Bu bebeğin adının Noel Baba'nın Elçisi olduğunu,
görevinin de çocukların nasıl davrandığını
gözleyip bunları Kuzey Kutbu'ndaki Noel
Baba'ya bildirmek olduğunu söyledi.

Bu fikir hiç hoşuma gitmedi tabii. Bir kere, insanın kendi evinde mahremiyet hakkı vardır. İkincisi, Noel Baba'nın Elçisi tüylerimi ürpertiyor.

Bu bebeğin Noel Baba'ya ispiyonculuk yaptığına pek inanmıyorum ama yine de, her ihtimale karşı, Noel Baba'nın Elçisi ile aynı odadayken çok daha iyi ve uslu olmaya çalışıyorum.

Ama bunun pek de anlamı yok çünkü abim Rodrick sürekli Noel Baba'nın Elcisi'ni benimle ilgili kötü bilgilerle doldurup duruyor.

BEN, GREG HEFFLEY, ANNEMİN CÜZDANINDAN YİRMİ DOLAR AŞIRDIM.

Her sabah uyandığımda, Noel Baba'nın Elcisi'ni başka bir yerde buluyorum, bu da gece Kuzey Kutbu'na gidip geldiğini kanıtlıyor galiba. Ama artık onun yerini Rodrick'in değiştirdiğinden şüphelenmeye başladım.

CİYAKKK!

CIRT

<u>Pazar</u>

Bugün bütün Noel süslerini bodrumdaki depodan çıkardık. Kutular dolusu süs var, bazıları çok eskimiş. Bir de resim bulduk, Rodrick ve ben küvette yıkanırken çekilmiş. Çok utanç verici ama annem resmi atmama izin vermiyor.

Ağacı salona yerleştirdik ve süsleri asmaya başladık. Kardeşim Manny üst katta uyuyordu. Uyanıp da bizim ağacı onsuz süslemeye başladığımızı görünce, müthiş bir yaygara kopardı.

Manny'nin bu kadar bozulmasının nedeni, birinin onun en sevdiği süsü, renkli bastonu asmış olmasıydı. Annem bastonu çıkardı ve kendi assın diye Manny'ye verdi.

Ama Manny ağaca İLK kendi süsünün asılmasını istiyordu. Sırf o bunu yapabilsin diye bütün süsleri çıkarmak zorunda kaldık.

Bizim evde her gün böyle şeyler oluyor zaten.

Annem henüz Manny'yi uslu davranması için Noel Baba ile tehdit etmeye başlamadı ama eminim yakında başlar. Ama ben bunun bizi hizaya sokmak için iyi bir strateji olduğuna inanmıyorum. Çünkü ikinci Noel geçtiği halde, annem pek aşama kaydedemedi.

Pazartesi

Şükran Günü tatilinden hemen önce, okulda "şiddete karşı en iyi sloganı bulma" yarışması düzenlendi. Büyük ödül olarak kazanan takım için pizza partisi verilecekti.

Şiddete Ancak

Sen **Dur**

DİYEBİLİRSİN!

En fazla beş kişiden oluşan
bir takım kur ve şiddete karşı
en iyi sloganı bul.
Kazanan takım için
kantinde pizza partisi verilecek!
Şiddete son verelim!

Pizza partisini herkes istiyordu ve bunu kazanmak için NE yapmak gerektiği kimsenin umurunda değildi. Bizim sınıftaki kızlardan oluşan iki grup, birbirine çok benzeyen sloganlar bulmuş. İki grup da birbirini kendi fikrini çalmakla suçluyordu.

Sonunda iş kontrolden çıktı ve kavganın daha da beter hale gelmemesi için okul müdürü devreye girmek zorunda kaldı.

Bu arada bu yıl okulumuzda şiddete eğilimli tek bir tip var aslında. Adı Dennis Root. Her yerde asılı tabela ve afişleri gördükçe eminim o da mesajı alıyordur.

Şükran Günü'nden önceki gün şiddete karşı büyük bir toplantı düzenlendi. Oditoryumdaki herkes sürekli Dennis'e bakıyordu. Onun için biraz üzüldüm ve kendini daha iyi hissetmesini sağlamaya çalıştım.

Bu yıl okulumuzda şiddete eğilimli tek kişi Dennis olabilir ama geçen yıl onlardan BİR SÜRÜ vardı. Teneffüslerde insanlar sürekli sataşmalara maruz kalıyorlardı. Bu yüzden öğretmenler, bahçede çocukların bir büyüğün yardımına ihtiyaç duyduklarında düğmeye basabilecekleri bir köşe oluşturmuşlardı.

Sonra, Öğretmen Çağırma Köşesi, okulun kabadayıları için gizlenip bir sonraki kurbanlarını bulabilecekleri güvenli bir yere dönüştü.

Öğretmenler ALAY ETMENİN de şiddete girdiğini söylüyorlar ama ben BUNA son vermelerinin bir yolunun olduğunu sanmıyorum. Bizim okulda çocuklar hep birbirlerine isim filan takarlar. Aslında benim pek fazla ön plana çıkmak istememin nedenlerinden biri sonunda Cody Johnson gibi bir lakabımın olmasını istememem.

Anaokulundayken Cody teneffüste köpek pisliğine basmıştı. O zamandan beri insanlar onu "Kakadi" diye çağırıyor.

Sadece çocuklar olsa iyi. Öğretmenler, hatta MÜDÜR bile.

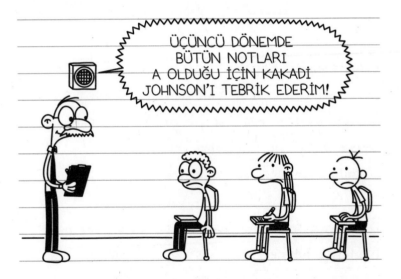

Şunu rahatlıkla söyleyebilirim: Kakadi gibi bir lakabım olsaydı, başka bir kasabaya taşınırdım.

Ama herhalde o zaman da ESKİ okulumdan biri yeni kasabaya taşınırdı ve her şey en başından başlardı.

Öğretmenler hep birinin şiddetine ya da sataşmalarına maruz kaldığımızda, bunu bir büyüğe anlatmamız gerektiğini söylüyorlar. Bence bu iyi bir fikir ama ben şiddete uğradığımda pek işe yaramadı.

Bizim yan sokakta yaşayan bir çocuk vardı. Nedense herkes ona "Pis Don" diyordu.

Arkadaşım Rowley ile ne zaman Pis Don'un sokağından geçsek, bizi elinde sopayla kovalıyordu.

İşin kötü tarafı, Rowley ile o sokaktaki koruyu okula gitmek için kestirme yol olarak kullanıyorduk. Pis Don'un gazabına uğramamak için yolumuzu değiştirmeye başladık.

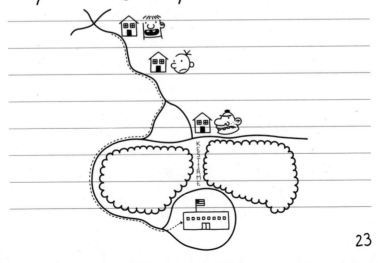

Biz de TAM öğretmenlerin her zaman söylediğini yaptık ve müdüre şikayette bulunduk. Ama Müdür Yardımcısı Roy, Pis Don bizim okula gitmediği için kendisinin yapabileceği hiçbir şey olmadığını söyledi.

Birkaç kez kovalandıktan sonra, artık yettiğine karar verdim ve durumu babama anlattım. Babamın adam olmam ve sorunu kendim çözmem gerektiğini söylemesinden korkuyordum ama beni şaşırttı. KENDİSİNİN de benim yaşımdayken mahallenin kabadayısıyla başının dertte olduğunu ve benim neler yaşadığımı çok iyi anladığını söyledi.

24

Babamın kabadayısının adı Billy Staples imiş. Billy'nin en sevdiği şey bir çocuğun kolunu arkasında kıstırmak ve çocuk bağırana kadar öyle tutmakmış.

Babam, sokaktaki çocukların ailelerine Billy'den bahsettiklerini, onların da toplanıp Billy'nin anne babasıyla yüzleşmeye gittiklerini söyledi. Bay Staples, Billy'ye, bir daha kimseye sataşmayacağına dair söz verdirmiş. Billy de ağlamaya başlamış, hatta altını ıslatmış.

Bu hikâyeyi dinledikten sonra, Billy Staples'in Pis Don'a benzediğini sanmıyorum pek. Ama babama kabadayının ailesine şikâyette bulunma fikrini sevdiğimi söyledim. Rowley'i aradım ve babasıyla birlikte bize gelmelerini istedim. Çünkü olabildiğince desteğe ihtiyacımız vardı.

Babam, Pis Don'un kapısını çaldı. Anne babasının gelip kapıyı açmasını bekledik.

Ama kapıyı Pis Don"un kendisi açtı. Rowley ile ben de tabanları yağlayıp kaçtık.

Sanırım Pis Don'u babama tarif etmem gerekirmiş. Çünkü bize o kadar eziyet eden kabadayının kapıyı açan çocuk olduğunu anlaması biraz zaman aldı.

Babam, Pis Don'un annesi ile konuşmuş. Kadın oğlunun daha beş yaşında olduğunu ve zaman zaman biraz yaramazlık yaptığını söylemiş.

Eve dönerken, babam daha anaokuluna giden bir cocuğun bana kabadayılık yapmasına izin verdiğim için çok kızgındı. İyi de benim de bir savunmam var: Bir çocuk seni elinde sopayla kovalarken, durup ona kaç yaşında olduğunu sormazsın, di mi?

Salı

Bugün okul bahçesindeki son aleti de götürdüler. Okula başladığımızda tırmanma aletleri, salıncaklar, her şey vardı. Şimdi ise bahçe boş, toz toprak içinde bir yer.

Teneffüslerde hapishane avlusunda gibiyiz sanki.

Okulun bahçenin sigortasını ödemekte zorlandığını duydum. Bu yüzden ne zaman bir alette kaza ya da yaralanma olsa, yapılacak en kolay şey bunu bahçeden kaldırmaktı.

Ekimde, Francis Knott salıncaktan uçtu ve tahtırevallinin üzerine düştü. Bunun üzerine ikisini de kaldırdılar.

Christine Higgins adında bir kız en tepeye tırmanıp sonra aşağı inmeye korkunca, tırmanma aletlerini de kaybettik.

Öğretmenlerin çocuklara dokunmaları yasak, bu yüzden Christine'i aşağı indirmek için anne babasını çağırmak zorunda kaldılar.

Sonunda geriye sadece denge aleti kaldı. O ŞEYDE kimsenin yaralanamayacağını sanıyordum. Ama ister inanın ister inanmayın, geçen gün bir geri zekalı önüne bakmadığı için, bugün o da gitti.

Bahçede hiç oyun aleti olmayınca, yapacak bir şey kalmıyor. Ama öğretmenler "faal" olmamız gerektiğini söyleyerek oturmamıza da izin vermiyorlar.

Okula oyalanmak için oyuncak ya da bilgisayar oyunu getirmemiz de yasak. Hatta bahçede oyuncakla yakalanırsan, oyuncağına el konuyor. Geçen hafta biri kumların arasına gömülmüş bir oyuncak araba buldu. Araba, sanki yıllardır orada duruyormuş gibi görünüyordu.

Üç tekerleği eksikti; ama insanlar eğlenmeye o kadar susamışlardı ki birileri gözcülük yaparken diğerleri arabayla oynamak için sıraya girdi.

Artık okulda oyuncaklar karaborsa. Christopher Stangel dün evden bir kutu lego getirmiş. Tek bir parça için elli sent vermek gerekiyormuş.

Öğretmenler eskiden oynadığımız bazı oyunları da yasakladılar. Geçen hafta bir grup çocuk Uzun Eşek oynuyorlarmış. Biri, arkadaşının yaptığı eşek şakası üzerine düşüp yaralanmış.

Bu yüzden birbirimize dokunmamıza, hatta KOŞMAMIZA bile izin verilmiyor. Bugün insanlar "Ebelemece" oynuyorlar ve bunu hızlı yürüyerek yapıyorlardı ama aynı şey değildi.

Bana sorarsanız, insanlar bu güvenlik meselelerini fazla abartıyorlar. Manny'nin minikler futbol maçını izlemeye gittim. Çocukların hepsi bisiklet kaskı takmak zorundaydı.

Bahçedeki aletlerin kaldırılmasının tek iyi tarafı şu: Artık okulda başarılı olmak için bir şansım var.

Ben öğretmen bir şeyler anlatırken onu dikkatle dinlemekte zorlanan insanlardan biriyim.
Bir başka sınıf dışarıda teneffüs yaparken, dikkatimi derse vermem çok daha zor oluyor.

Çarşamba

Tamam, bahçedeki aletlerin gitmesinden memnun olduğum konusunda söylediklerimi geri alıyorum. Artık çocukların teneffüslerde yapacak hiçbir şeyleri yok. Onlar da pencerelerden içeri bakıyorlar. Sınavlar sırasında bu insanın bütün dikkatini dağıtıyor.

Zaten sınıfta soruları en hızlı cevaplayan kişi ben değilim. Üçüncü sınıfta Bayan Sinclair adında bir matematik öğretmenimiz vardı. Bize çarpım tablosu ile ilgili bütün harika numaraları öğretmişti. Ana bunlar beni ciddi şekilde yavaşlatıyor.

SEKİZ KERE DÖRT OTUZ İKİ EDERMİŞ
HERKES BUNU ÇOK İYİ BİLİRMİŞ!

(ALİ BABA'NIN
ÇİFTLİĞİ ŞARKISININ
MÜZİĞİ EŞLİĞİNDE)

Bu yılın başında, sürekli sandalyenin üzerine çıkan matematik öğretmeni Bay Sparks geldi ve çok önemli bir şeyi hatırlamamızı istedi.

Ama Bay Sparks bize matematiğin önemli kavramlarından birini hatırlatmaya çalışırken, sandalyenin ayaklarından biri kırıldı ve o da yere düştü.

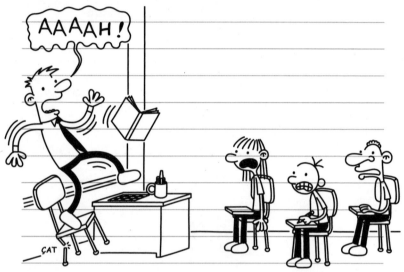

Bay Sparks'ın köprücük kemiğinin kırıldığını ve bu yüzden okulu mahkemeye vereceğini duydum. Bize o gün öğretmeye çalıştığı kavramı hatırlamıyorum ama artık asla mobilyaların üzerine çıkmamam gerektiğini biliyorum.

Bugün teneffüste herkes bir an önce içeri girmeyi bekliyordu. Ama sonra Rowley ayağa kalktı ve bahçenin etrafında sıçraya sıçraya dolaşmaya başladı.

Birkaç kişi tezahürat yapmaya ve alkışlamaya başladı. Rowley'in koşmak yerine sıçrayarak yeni okul kurallarını protesto ettiğini düşünmüşlerdi herhalde. Ama aslında sıçrayarak yürümek, Rowley'in sevdiği bir şeydir.

Nedense onun sıçraması benim sinirimi bozar. O gün de bahçede öyle dolaştığını görünce sinir oldum. Sıçramak ikimiz arasında tam bir mesele olmuştur hep. Rowley benim sıçramayı bilmediğim için onu kıskandığımı söyler. Bense bunun aptalca göründüğünü düşünüyorum.

Aslında sıçramayı hiç beceremediğimi itiraf etmeliyim. Hatta birinci sınıfta bunu yapamayan tek çocuk bendim.

Sıçramayı öğrenene kadar sınıfta kalacağımı sanıyordum ama neyse ki beni ikinci sınıfa geçirdiler. Yine de hâlâ bir gün bunun karşıma çıkacağından korkuyorum.

Bazen, Rowley ile birbirimizden bu kadar farklı olduğumuz halde nasıl arkadaş olabildiğimizi merak ediyorum. Ama bu noktada, onunla birbirimize mahkûm olduğumuzu fark ediyorum ve beni sinir eden özelliklerini görmezden gelmeye çalışıyorum.

Perşembe

Noel Baba'nın Elçisi'nin evde her hareketimi gözlemesinin en kötü tarafı: Eskiden tatillerde yaptığım hiçbir şeyi yapamıyorum.

Birkaç yıl önce annemle babam Noel'den bir hafta önce ağacın altına armağanlar koymuşlardı. Bunların ne olduğunu öğrenmek için çıldırıyordum.

SALLA
SALLA

Armağanlardan birinin üzerinde benim adım yazıyordu. Ben de bilgisayar oyunu olduğundan emindim. Bakmak için paketi birazcık yırttım. Tabii içinde istediğim oyun vardı.

Ama sonra, istediğim oyunun hemen orada, ağacın altında olduğunu ve benim oynayamadığımı bilmek canımı sıkmaya başladı. Ben de bir adım daha ileri gittim, paketin üzerini iyice yırttım ve diski çıkardım.

Plastik kutuyu açıp oyunu aldım, sonra kutuyu tekrar ambalaj kâğıdına sarıp paketi bantladım.

Ama annemin paketi eline alacağından ve eskisinden daha hafif olduğunu fark edeceğinden korkuyordum. Ben de paketi tekrar açtım, kutuya Rodrick'in heavy metal CD'lerinden birini koydum, böylece eski ağırlığını kazanmasını sağladım.

Her gece annemle babam yattıktan sonra oyunu oynuyordum, çok da iyiydim. Ama sonra oyunu kutuya geri koymayı unuttum. Noel'de armağanımı annemle babamın önünde açınca, Rodrick'in CD'si çıktı ve kayıp yere düştü.

Noel'den sonraki gün, annem CD'yi aldığı dükkâna götürdü ve satıcıyı çocuklar için "uygunsuz" şeyler sattıklarını söyleyerek bir güzel azarladı.

Noel'de bana ne armağan geleceğini bilmek istemiyorum aslında ama bazen kendimi tutamıyorum. Geçen yıl, annemin e-posta hesabına girdim ve bana ne alacaklarını öğrenip öğrenemeyeceğimi görmek için bütün akrabalara yazdım.

Konu: Armağanlar

Hey, millet!

Bu yıl Greg'e ne alacağınızı söyleyin de hepimiz aynı şeyleri almayalım.

Teşekkürler, Susan.

Ama annem e-postasını mutfaktaki bilgisayarda tutuyor. Noel Baba'nın Elçisi beni baykuş gibi gözlerken, onun hesabına girmem çok zor.

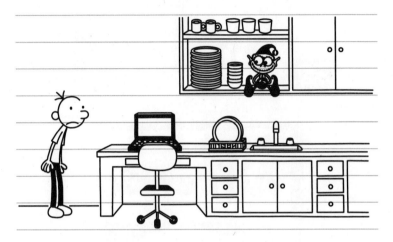

Bu gece, bu yıl Noel dilek listeme neler yazacağıma karar vermeye çalıştım. Listemi hazırlarken olabildiğince net olmaya çalışıyorum çünkü armağan işini annemle babama bırakırsam, elime saçma sapan şeyler geçiyor.

Birkaç yıl önce dilek listesi hazırlamayı unutmuştum, bunun bedelini çok ağır ödedim. Annem Manny'ye hamileydi, benden bir kardeş sahibi olmaya hazırlanmamı istiyordu.

Noel'de de bana OYUNCAK BEBEK aldı.

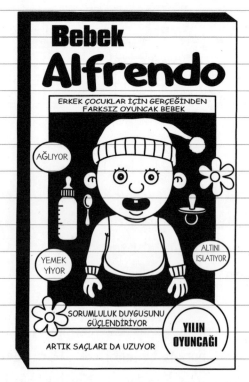

Önce bununla hicbir şey yapmak istemedim.

Sonra YEMEK YEDİREBİLECEĞİN
bir oyuncak bebeğinin olmasının hiç de fena
olmadığını fark ettim. Alfrendo'ya sahip
olduktan sonra, dudaklarıma tek bir sebze
değmedi sanırım.

Bebeği sadece bunun için de kullanmadım. Aynı
zamanda onun harika bir çizgi roman ayağı
olduğunu fark ettim.

İtiraf etmeliyim, birkaç ay sonra bebeğe
gerçekten bağlanmıştım.

Benim hiç evcil hayvanım olmadığı için, bakıp büyütebileceğim bir şeyimin olması güzeldi aslında.

Ama bir gün okuldan eve geldim ve Alfrendo'yu hiçbir yerde bulamadım. Evde bakmadığım yer kalmadı ama bebeğim ortalarda yoktu.

Alfrendo'yu bir yerde düşürmüş ve bunu bir şekilde fark etmemiş olmalıydım. Aklıma başka hiçbir şey gelmiyordu.

Bebeğimi kaybettiğim için çok üzgündüm.
Ama ESAS annem yeni gelecek kardeşim
konusunda bana güvenemeyeceğini düşünecek diye
endişeleniyordum. Ben de dolaptan bir greyfurt
aldım ve üzerine renkli kalemle bir yüz çizdim.

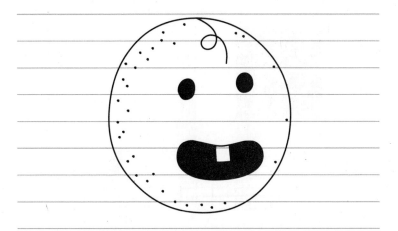

Sonra greyfurtu havluya sardım ve üç saat
boyunca ona bebeğimmiş gibi davrandım.

Annem ve babam fark etmemiş gibiydiler. Ama GERÇEK Alfrendo'nun evin yolunu bulup geri gelmesinden ve kendisini terk edip yerine de bir meyve koyduğum için benden intikam almasından korkuyordum.

Doğrusu o günden beri bundan korkuyorum. Bu yüzden her gece yatmadan önce pencerenin kilitli olup olmadığını mutlaka kontrol ediyorum.

Bunu söylemekten biraz utanıyorum ama o GREYFURTA da bağlandım ben. Ancak bir süre sonra çürümeye başladı. Babam da garip kokunun benim çürüyen Alfrendo'mdan geldiğini anladı.

Annem bebeğimi kaybetmeme pek üzülmemiş gibiydi. Ama beni Manny ile evde on beş dakikadan uzun süre yalnız bırakmadı.

Fakat daha önce de söylediğim gibi, insanın bakıp büyüteceği bir şeyinin olması güzel. Ben de bu duyguyu özledim. Bu yüzden bugünlerde NETÇİKLER denen oyunu oynayıp duruyorum.

Aslında, Netcikleri fırsat bulduğum her an oynuyorum. Oyunun temeli şu: Evcil hayvanını beslemek ve mutlu etmek zorundasın. Eğer hayvanın mutlu olursa, para kazanıyor ve ona giysiler, mobilyalar filan alabiliyorsun.

O kadar çok oynadım ki evcil hayvanım Bıcırık'a içerde bir yüzme havuzu olan malikane, bir bowling salonu ve 150 farklı giysi alabildim.

Memnun olmadığım tek şey hayvanımın ADI. Hesabımı annem oluşturdu, ben de onun kaydettiği adı nasıl değiştireceğimi bilmiyorum.

GREGORY'NİN
KÜÇÜK ARKADAŞI

Annem sanal hayvanıma KENDİMDEN daha iyi baktığımı söylüyor. Sanırım bu konuda onunla tartışamam. Hafta sonu boyunca on altı saat oynadım, tuvalete gitmek için bile yerimden kalkmadım.

Ama eğer evcil hayvanına yeni şeyler almaya devam etmezsen, mutsuz görünmeye başlıyor. Bu da beni çok üzüyor.

KEYİFMETRE

GREGORY'NİN
KÜÇÜK ARKADAŞI:

KEYİFSİZ

Sorun şu: Ancak belirli bir sayıda jeton kazanabiliyorsun. Sonrasını gerçek parayla satın almak zorundasın. Ne yazık ki benim kendime ait bir kredi kartım yok. Bu da annemle babama ONLARIN kredi kartlarını kullanmak için yalvarmak zorunda olduğum anlamına geliyor.

Sanal hayvanıma şık bir kıyafet almak için babamı cüzdanını açmaya ikna etmek de hiç kolay değil.

KEYİFMETRE

GREGORY'NİN
KÜÇÜK HAYVANI:

HAVALI

Bu yıl Noel'de biraz Netcikler Parası istesem iyi olacak. Ama listeme BAŞKA neler yazmam gerektiğini düşünüyorum hâlâ. Aslında BİR SÜRÜ şey isteyebilirim çünkü iki hafta önce bademciklerimi aldırmak için hastaneye yattığımda Manny eşyalarımın yarısını satmış.

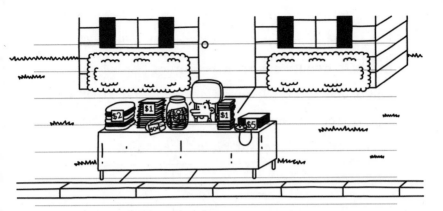

Ama bu yıl bilgisayar oyunu ya da oyuncak gibi normal bir şey istemem gerektiğinden emin değilim. Bir şeyi fark ettim, ne zaman Noel'de sana güzel bir şey gelse, bir hafta içinde bunu aleyhine kullanıyorlar.

53

Emin olduğum bir şey var: Bu yıl yalnızca dükkânlardan alınan armağanları kabul ediyorum. Geçen Noel'de annem bana el örgüsü çok güzel bir battaniye armağan etti. Ben de kışın yarısını buna sarınarak geçirdim.

Ama aynı battaniyeyi bir fotoğrafta, birkaç yıl önce ölen Büyük Amca Bruce'un üzerine gördüm. Ben de battaniyeyi bu yıl doğum gününde Rodrick'e verdim.

Pazar

Bütün hafta sonu Netcikler oynayacaktım
ama dün annem, bu sitede geçirdiğim süreyi
"sağlıksız" bulduğunu, "gerçek hayattan" bir
insanla etkileşimde bulunmam gerektiğini söyledi.

Ben de Rowley'i arayıp bize gelmesini söyledim.
Sıçrama meselesi yüzünden ona hâlâ biraz
bozuktum ama olsun.

Rowley geldiğinde, bilgisayar oyunu oynamak için
oturduk. Ama annem makineyi kapatmamızı ve
"yüz yüze etkileşim" kurmamızı söyledi.

Oysa Rowley ile arkadaşlığımın sürmesinin
nedenlerinden biri, onun benim bilgisayar oyunu
oynayışımı izlemekten rahatsız olmaması.

Hem atalarımız birbirleriyle etkileşimde bulunmak zorunda KALMAMAK için teknolojiyi icat etmişler di mi?

Annem Rowley ile beni bodruma gönderdi. Biz de ne yapacağımıza karar vermeye çalıştık. Rowley'den yanında DVD'ler getirmesini istemiştim. Böylece geç saate kadar oturup film izleyebilirdik.

O da kalkıp yanında EVDE çekilmiş filmler getirmiş. Üzerine PARA verseler HİÇBİRİNİ izlemem.

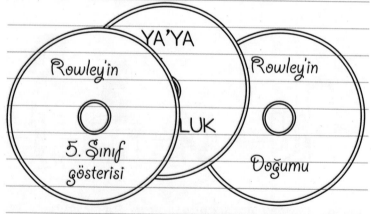

Annem bize "UCUK KAÇIK CÜMLELER" kitapları getirdi. Bu kitaplarda, boşlukları doldurup komik ifadeler oluşturuyorsun.

İlk turda, Rowley sözcükleri söyledi, ben de bunları boşluklara yazdım. Oluşturduğumuz ifadeler gerçekten çok komikti. Ama komik OLMAYAN; Rowley'in yeni alışkanlığıydı: Gülmek yerine "KEH" diyordu artık.

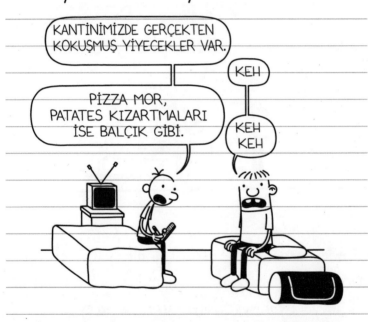

Bu beni gerçekten ÇILDIRTIYORDU. Biz de rolleri değiştirdik, Sözcükleri ben seçmeye başladım. Rowley önce bana spor adı sordu, ben de "voleybol" dedim. Ama o, "boleybol" olduğunu, yani b ile yazıldığını söyledi. Bunun üzerine "voleybol"un hangi harfle başladığı konusunda müthiş bir tartışmaya giriştik.

Bir sözlük bulup Rowley'e verdim ve kendisinin bakmasını söyledim. "V" harfini açmak yerine, "b" kısmındaki bütün sözcükleri tek tek okudu. "Boleybol"u bulamayınca, en baştan başladı.

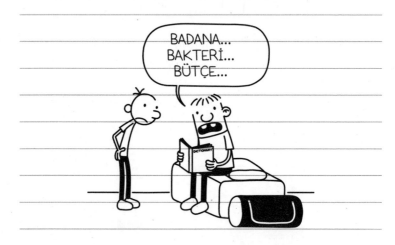

Rowley beni artık geçerliliği olmayan, çok eski bir sözlük kullanmakla suçladı. Bu yüzden içinde "boleybol" yokmuş. Bunun üzerine voleybolun hangi yıl icat edildiği konusunda tartışmaya başladık.

Rowley beni iyice sinir etmeye başlamıştı. Konuyu değiştirmemiz gerektiğini fark ettim, yoksa her zamanki gibi sonunda kavga edecektik.

Rowley'e belki başka bir şey yapmamızın iyi olacağını söyledim. O da saklambaç oynamak istediğini söyledi. Ama Rowley ile saklambaç oynamanın kötü tarafı şu: Kendisi SENİ göremediğinde, senin de ONU göremediğini sanıyor. Bu durumda da onu bulmak çok kolay oluyor.

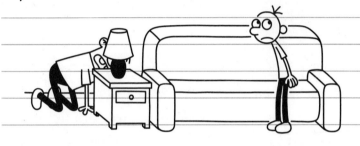

Birbirimizden biraz uzak durmamız gerektiğine karar verdim, aklıma bir fikir geldi. Rowley'e kimin daha cesur olduğunu -onun mu benim mi- göreceğimizi söyledim. Sürgülü cam kapıdan dışarı çıktık.

İkimiz de koruya girecek ve geçen yaz yaptığımız ağaç kaleye ismimizi yazacaktık. Kim bundan kaçınırsa, voleybol konusunda yanıldığını kabul edecek ve hayatının geri kalanı boyunca diğerine "efendim" diye hitap edecekti.

Rowley bunun adil bir anlaşma olduğunu düşünür gibiydi.

Rowley'e önce benim gideceğimi söyledim ve koruya girdim. Ama onun beni göremediğinden emin olduğum anda, dolaşarak geri dönüp evin önüne geldim.

Gecenin köründe o koruya tek başıma girer miyim hiç? Mümkün değil. Geçen yaz Rowley ile o kaleyi yaptığımızda adımı yazmıştım zaten. Şimdi bu cesaret oyunu fikrini de bu yüzden ortaya atmıştım.

Ön kapıdan içeri girdim, kendime bir kâse dondurma aldım ve bir süre dinlendim. İtiraf edeyim, kendimle baş başa kalmaya çok ihtiyacım varmış.

Dondurmamı bitirince, evin yan tarafına geçtim, yüzüme ve giysilerime biraz çamur sürdüm ve koşarak korudan çıktım.

Belki de son kısmı eklemesem iyi olurmuş; çünkü Rowley o anda cesaretten filan vazgeçti.

Neyse, bu mola bize iyi geldi. Gecenin geri
kalanını tartışmadan geçirdik.

Sabahleyin ailece kiliseye gittik. Rowley de
bizimle geldi. Rowley'in ailesinin pek sık kiliseye
gittiğini sanmıyorum. Bu yüzden ne zaman ne
yapılması gerektiği konusunda kurallara pek
alışık değil. Ne zaman çömelmesi, ne zaman
ayağa kalkması filan gerektiğini ona ben
söylemek zorunda kalıyorum.

Sonlara doğru, "Selametle" kısmına geçtik.
Burada herkesin birbirinin elini sıkması gerekiyor.
Rowley'e "Selametle" dedim ama o kıkırdamaya
başladı.

Galiba "Selametle"yi "salam etle anlamış"... Etli salam gibi bir şey sanmış olmalı.

Rowley'in insanlarla el sıkışmak gerektiğini tam olarak anladığını da sanmıyorum. Çünkü arkamızdaki kadın "Selametle" dediğinde, Rowley onu yanağından ıslak ıslak öptü.

Kiliseden çıkınca Rowley'i evine bıraktık. Onun gitmesine sevindim. Yeniden oyunumu oynamaya koyulabilirdim.

İçimden bir ses annemin de aynı duygular içinde olduğunu söylüyor.

ARALIK

Salı

Bugün odamda Netçikler oynarken annem içeri girdi. Bir süre izledi, sonra oyunda ne yaptığımı sordu. Bıcırık'ın televizyon seyretmesini izlediğimi söyledim. Çünkü evcil hayvanın günde en az iki saat reklam izlerse bu onu mutlu ediyor, sen de yirmi bonus para kazanıyorsun.

Sonra anneme bana yirmi papel verip vermeyeceğini sordum. Çünkü Netçikler dükkânında trampolin ayakkabıları satılmaya başladı. Ben de Gregory'nin Küçük Arkadaşı'nın bunlara bayılacağından emindim.

Ama sanırım annemden borç para istemek için yanlış zaman seçmişim çünkü pek keyfi yok gibiydi. "Paranın değeri"ni hiç bilmediğimi, eğer Netçikler "alışkanlığım" için para harcamak istiyorsam bunun kendi cebimden çıkması gerektiğini söyledi.

Anneme benim kendi param olmadığını, bu yüzden sürekli ona ve babama yalvarmak zorunda kaldığımı anlattım. O da para kazanmak için yapabileceğim BİR SÜRÜ şey olduğunu söyledi. Bu gece kar yağması bekleniyormuş. Yarın dışarı çıkarıp komşuların kapılarının önündeki karları küreyebilirmişim.

Kapıları çalıp komşulardan para istemek HİÇ hoşuma gitmiyor. Bizim okulda yılda üç kez yardım kampanyası düzenleniyor, ben de ev ev dolaşıp doğru dürüst tanımadığım insanlara benden bir şey satın almaları için yalvarmak zorunda kalıyorum.

Çoğunlukla sattığım şeyin ne olduğunu bile tam olarak bilmiyorum.

MERHABA, BAYAN KAPPLER, DAYANIKLI GERANYUM SOĞANLARINDAN ALMAK İSTER MİYDİNİZ?

Keşke okul bize satmamız için daha İŞE YARAR bir şeyler verse... şeker, kurabiye filan. Kız Elçiler daha şanslı, çünkü en azından onlar insanların GERÇEKTEN istediği şeyleri satıyorlar.

67

Bu yardım kampanyalarında sistem şöyle işliyor:
Bütün işi öğrenciler yapıyor, okul da bize
saçma sapan ödüller veriyor. Bir keresinde
yirmi dolarlık kaliteli çekirdek kahve satmıştım,
karşılığında bana daha okuldan çıkmadan
darmadağın olan ucuz bir yo-yo verdiler.

Rowley BENDEN de şanssızdı. 150 dolarlık
çekirdek kahve sattı ve ödül olarak Çin
parmak tuzağı aldı. Oyuncakta bir sorun yoktu
ama Rowley parmaklarını çıkaramadı ve eve
gittiğinde annesi oyuncağı keserek çıkarmak
zorunda kaldı.

Geçen yıl okul farklı bir şey denedi. Bize piyango bileti sattırdılar. Piyangoyu kazanan kişinin bahçesinde, yedinci sınıf öğrencileri bahar temizliği yapacaklardı.

Piyangoyu bizim sokağın sonunda oturan Bayan Spangler kazandı. Baharın ilk günü, yedinci sınıf öğrencileri onun bahçesinde toplandı. Ama onca çocuğa rağmen sadece iki tırmık vardı. Bu yüzden sınıfın çoğu yapacak bir şey bulamadan boş boş oturdu.

"Bahar temizliği" bittiğinde, Bayan Spangler'ın bahçesi eskisinden daha kötü görünüyordu.

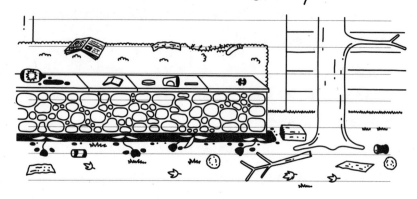

Okulun yaptığı yeniliklerden biri de YÜRÜMATONLAR. Okulun çevresinde belirli bir sayıda tur atacakmışız, örneğin yüz ya da iki yüz. Tamamladığımız her tur için komşular bize sponsor olacaklarmış.

YÜRÜMATON Sponsor Sayfası	
Tur başı 0.25 $	
İsim	Tur sayısı
1. Georgette Kramer	20
2. Tony Sinclair	15
3. Henry Nielson	25
4. Leslie Simpson	10
5. Barbara Preston	20
6. Lavar Collison	10
7.	
8.	

Birinden tohumlar, çekirdek kahve için filan
para ödemesini istemeyi anlayabilirim. Ama
nasıl bir insan bir çocuğun bir futbol sahasının
çevresinde iki yüz tur atmasından zevk duyar,
anlamış değilim.

Okul Yürümaton'u eylül ayında devreye soktu
çünkü kasaba parkının yakınına konacak ilan
panosunun parasını ödemek istiyorlar.

**KASABA PARKINI
TEMİZ TUTALIM**

Okul neden YÜRÜMATON'u filan boşverip parkı cocuklara temizletmiyor anlamıyorum. Ama herhalde bu iş yedinci sınıfa kalırsa, parkı cöp icinde bırakırlar.

Şöyle bir hesap yaptım ve bizim sokaktaki her yetişkinin bir yıl icinde okuldaki yardım kampanyalarına ortalama yirmi üc dolar verdiğini gördüm.

En iyisi ben bütün komşuları yılda bir kez bizim eve davet edeyim ve yanlarında peşin peşin yirmi üc dolar getirmelerini söyleyeyim. Böylece herkes bir sürü zahmet ve sıkıntıdan kurtulur.

Dün gece, tıpkı annemin söylediği gibi, kar yağdı. Mahalledeki bütün diğer çocuklar okula gitmemenin keyfini yaşarken, ben dolaşıp iş aramak zorundaydım.

Önce kimin kapısını çalsam diye düşündüm ama karar vermek hiç kolay değildi. Bayan Durocher sokağın hemen karşısında oturuyor ama sevgi gösterilerinde bulunmaya biraz fazla meraklı. Bu yüzden genellikle ondan uzak durmak için elimden geleni yaparım..

73

Bir de Stellaların evine taşınan Bay Alexander var. Çocukken diş teli takmamış herhalde çünkü dişleri pek düzgün değil. Ne yazık ki, babam ve Bay Alexander ilk olarak Cadılar Bayramı'nda karşılaştılar ve babam onun dişlerinin gerçek olduğunu anlamadı.

Bu yüzden Bay Alexander'ın evini de pas geçmeye karar verdim.

Bizim sokakta yaşayan ama YILLARDIR konuşmadığım insanlar var. Ben dört yaşındayken, annemle babam mahallede yaşayan çiftler için bir davet vermişlerdi. Ben de davet sırasında tuvaleti kullanmak için alt kata inmiştim.

Ama galiba o zamanlar tuvaletin kapısının kilitlenmesi gerektiğini bilmiyormuşum. Ben içerdeyken Bay Harkin kapıyı açıverdi.

İşim bittiğinde, annemi bulup Bay Harkin'i ona şikâyet ettim. Eminim adam rezil olduğunu düşündü.

Yani şimdi anaokulundayken rezil ettiğim birinin kapısını çalıp ondan para isteyecek halim yok di mi?

Bugün bizim sokakta oturan insanlarla benim geçmişte çok şey yaşadığımızı fark ettim. Bu yüzden bir sokak öteye, Prentice Lane'e geçip yeni bir başlangıç yapmaya karar verdim.

Köşedeki eve gidip kapıyı çaldım. Ama kapıyı açan kadını tanıdım. Büyükannemin tombala arkadaşlarından biri olan Bayan Melcher idi.

Bayan Melcher'a insanların kapılarının önündeki karları küreyerek para kazanmaya çalıştığımı, kendisi için de bunu beş papel karşılığında seve seve yapacağımı söyledim.

Ama Bayan Melcher kimsenin onu ziyarete gelmediğini söyledi ve bunun yerine çene çalmak için beni içeri davet etti.

Kabalık etmek istemedim. Biraz sonra, etrafımda Bayan Melcher'in kışın içeri taşıdığı bahçe süsleriyle onun salonunda oturuyordum. Kendimi pek rahat hissetmiyordum aslında ama sonra düşündüm: Eğer birinden para isteyeceksem, en azından nazik olmaya çalışabilirdim.

Ama tek düşünebildiğim, bunca zaman orada oturmak yerine gidip başka birilerinin kapısını çalsam kaç para kazanabileceğimdi.

Orada bir saat kadar oturmuş olmalıyım. Sonra nihayet konuyu yeniden evin önündeki karları küreme işine getirmeyi başardım. Ama Bayan Melcher birazdan oğlunun kamyonetiyle geleceğini ve kapının önünü bedava temizleyeceğini söyledi. İyi de hayatımın o bir saatini asla geri alamayacağım ben!

VIN

KAZI

Prentice Sokağı'na geri döndüm ve kapıları çalmaya başladım. Galiba çoğu kişi işe gitmişti. Evde olan birini bulmak için bir sürü kapı çalmam gerekti. Sonunda yeni uyanmış gibi görünen bir adamla karşılaştım. Ona beş papel karşılığında kapısının önündeki karları küreyebileceğimi söyledim. Anlaştık, dedi.

İşe koyuldum, çok da hızlı ilerliyordum. Ama ben karları kürerken, yeniden kar yağmaya başladı.

İşim bittiğimde, o kadar çok kar yağmıştı ki benim çalışmış olduğum belli bile değildi.

Ben de kapıyı çaldım ve adama bir beşlik daha karşılığında evinin önündeki karları küprememi isteyip istemediğini sordum. Kabul etmedi.

İşin kötüsü, evinin önünü söz verdiğim gibi tertemiz yapana kadar bana ilk beşliği de vermeyeceğini söyledi. İşte bu yüzden birine iş yapmadan önce mutlaka ama mutlaka sözleşme yapmak gerek!

Tekrar kapının önüne dönüp karları kürememeye başladım ama o kadar çok kar yağıyordu ki boşa kürek çekiyordum sanki.

Sonra aklıma bir fikir geldi. Büyükannemim evi birkaç sokak ötedeydi. Çim biçme makinesini de garajda saklıyordu. Onun evine gittim ve çim makinesini iterek çalıştığı bahçeye getirdim.

Kar-biçmenin dahice bir fikir olduğunu düşünüyordum. Bunu daha önce kimsenin akıl edememiş olmasına inanamıyordum.

Ne yazık ki iş benim umduğum kadar kolay olmadı. Ben karların iki yana savrulacağını sanmıştım ama makine aradan geçiyor ve karlar olduğu yerde kalıyordu.

Bir süre sonra makine komik sesler çıkarmaya başladı ve birdenbire durdu.

Galiba bu makineler soğuk havalara uygun tasarlanmamış.

TAR TAR

Makineyi iterek büyükannemim evine geri götürdüm ve garaja koydum. Umarım yaz gelmeden buzları çözülür.

Hâlâ şu adamın bahçesiyle ilgilenmem gerekiyordu ama kar iyice şiddetli yağmaya başlamıştı. Benim de bir beşlik için günün geri kalanını çalışarak geçirecek halim yoktu. Yoluma devam edebilmem için acilen bir çözüm bulmam gerekiyordu.

Bahçe hortumunun eve bağlı olduğunu görebiliyordum. Ben de musluğu açtım, "duş" ayarına getirdim ve yoldaki karların üzerine tuttum.

HARİKAYDI! Su, karları eritiyordu, ben de izliyordum. Derken duvara dayalı duran bir fıskiye gördüm. Aklıma DAHA DA İYİ bir fikir geldi.

İşim bittiğinde, fıskiyeyi kapattım ve adamın kapısını çaldım. Kapısının önünün temizlenmiş olduğunu görünce bana beşliği verdi.

İşlerin böyle yolunda gitmesi beni çok heyecanlandırmıştı. Fıskiyesi olan başka insanlar da bulursam, aynı anda birden fazla işi yapabileceğimi fark ettim.

Ne yazık ki evde olan başka kimse bulamadım. Ama fikrim belki de işe yaramayacaktı zaten. Çünkü Prentice Lane'e döndüğümde, fıskiyeyle temizlediğim yolun buz tutmuş olduğunu gördüm.

Babam eve geldiğinde, dışarı çıkıp adamın evinin önündeki buzu eritmesi için beş torba kaya tuzu almak zorunda kaldık.

Yani şimdi, o kadar ağır çalışmanın karşılığında cebimde para olacağına, yirmi papel açığım var.

Perşembe

Dün birinin evinin önünü buz pateni pistine çevirmiş olmam babamın hiç hoşuna gitmedi. "Yanlış yargılar"da bulunmamın onu hayal kırıklığına uğrattığını söyledi. Geçen hafta arabasını çizdiğimde de aynen bu ifadeyi kullanmıştı.

Her şey benim Haftanın Öğrencisi'ni kazanmamla başladı. Haftanın Öğrencisi'ni kazandığında, ailenin arabasına yapıştırabileceğin bir çıkartma veriyorlar sana.

Çıkartma çok zevksiz tasarlanmış ama yine de kazanmak güzel.

Çocuğum

HAFTANIN ÖĞRENCİSİ
ve ben ÇOK GURURLUYUM

Neden kazandığımı bilmiyorum ama galiba sırayla herkese bu çıkartmadan veriyorlar. Geçen cuma Haftanın Öğrencisi'ni Fregley kazandı. Beş gün üst üste hiç kimseyi ısırmamayı başardığı için oldu bu sanırım.

Annem çıkartmayı kendi arabasına yapıştırmak istedi ama zaten arabasında o kadar çok çıkartma var ki benimkinin arada kaybolacağını biliyordum. Ben de babamdan kendi arabasına yapıştırmasını istedim.

Babam geçenlerde yeni bir araba aldı. Benim Haftanın Öğrencisi çıkartmamın bu gıcır gıcır arabada çok dikkat çekeceğinden emindim.

Ama babam yeni arabasında "ıvır zıvır" istemediğini söyledi. Önce hayal kırıklığına uğradım ama sanırım neden böyle söylediğini anlayabiliyordum. Bizim ailenin gerçekten güzel olan hiçbir şeyi yok; bu yüzden babam araba satıcısından spor bir arabayla döndüğünde çok şaşırdım.

HEH, HEH.

Annem, babam onunla konuşmadan gidip araba seçtiği için bozulmuştu ama.

Arabanın fazla "gösterişli" olduğunu ve sadece iki kapısı olduğundan beş kişilik bir aile için pek "kullanışlı" olmadığını söyledi. Ama babam kendi istediği arabayı aldığını ve geri vermeyeceğini söyleyerek ısrar etti.

Babamla konuştuktan sonra, çıkartmamı ne yapacağımı bilemedim. Ben de çıkartmayı Manny'ye verdim ve oyuncak arabasına filan yapıştırabileceğini söyledim.

Ama sanki ben öyle dememişim gibi gitmiş, çıkartmayı babamın arabasının sürücü kapısına yapıştırıvermiş.

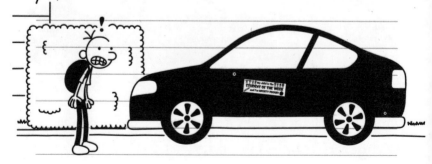

Çok sinirlendim çünkü babamın çıkartmayı oraya benim yapıştırdığımı düşüneceğini biliyordum. Sökmeye çalıştım ama böyle şeylerin arkasına Japon yapıştırıcı filan sürüyorlar herhalde. Ben de su ve sabun alıp KAZIMAYA çalıştım.

Yirmi dakika uğraştım ama pek bir şey yapamadım.

Mutfak lavabosunun altındaki dolapta farklı temizlik malzemeleri aramaya başladım. İşe yarayabilecek gibi görünen bulaşık telleri buldum.

Bunlar tencere ve tavalarda çok işe yarıyor. Araba da metal olduğuna göre, denemeye değeceğini düşündüm.

Gerçekten de bulaşık teli çıkartmayı arabadan tereyağından kıl çeker gibi çıkardı.

Hatta o kadar kolay oldu ki hızımı alamadım. Bulaşık telini böcek ve kuş pisliklerini temizlemek için de kullandım. Arabasını bedava temizledim diye babamın çok mutlu olacağını düşünüyordum. Ama arabayı hortumla yıkadığımda, büyük bir sürprizle karşılaştım.

Bulaşık teli yalnızca çıkartmayı ve kuş pisliklerini çıkarmakla kalmamıştı. BOYAYI da kazımıştı.

Paniğe kapıldım ve soyulan noktaları çıkmayan kalemle boyamaya başladım. Ama çıkartmanın yapıştığı alan çok büyüktü. Ben de annemin el yazısıyla bir not yazıp o bölgenin üzerine yapıştırdım.

Selam tatlım!

Umarım günün güzel geçmiştir!

Not: Bence bu notu arabandan çıkarma, böylece yarın da okuyabilirsin, olur mu?

Notun bana birkaç gün kazandıracağını umuyordum ama babam o kocaman alanı hemencecik fark etti.

Babam bana çok kızdı ama annem imdadıma yetişti. Herkesin hatalar yapabileceğini, önemli olanın dersimi almam ve yoluma öyle devam etmem olduğunu söyledi.

Bu yüzden anneme çok şey borçluyum. Babamı sakinleştirdi. Ceza bile almadım.

Babam arabayı boyanın onarılması durumunda ne kadar masraf çıkacağını öğrenmek için servise götürdü.

Serviste, bunun özel bir boya işi olduğunu söyleyerek yüksek bir maliyet çıkarmışlar.

Annem, babama bunun daha en başında bu kadar gösterişli ve şık bir araba almasının hata olduğunu gösteren bir işaret olduğunu, bunu verip yerine ikinci el bir minivan alması gerektiğini söyledi. Babam da öyle yaptı.

İşin komik tarafı, minivanın üzerinde eski sahiplerinden kalma bir Haftanın Öğrencisi çıkartması var. Ama babamın bunu komik bulacak hali yoktu hiç.

Pazar

Bizim aile genellikle kiliseye saat dokuzda gider ama bugün on birdeki dinletiye gittik.

Bu saatte kilisede çalınan müzik her zamankinden farklıydı. Gitarların filan olduğu bir müzik grubu vardı. Geçen hafta annem Rodrick'i kilise grubuna katılmaya ikna etti çünkü eline "perküsyoncu" arandığını söyleyen bir el ilanı geçmişti.

Sanırım Rodrick kilisede bateri filan çalacağını hayal etti ve gönüllü oldu.

Ama sonra grubun EL perküsyonları, tambur, kastanyet filan çalacak birini aradığı ortaya çıktı.

Rodrick bugün kilisenin önünde havalı görünmek için elinden geleni yaptı ama elinde bir çift marakasla aynı havayı koruması zordu tabii.

İnsanın ayrıntıları tam olarak öğrenmeden bir şeyin üzerine atlaması nedir, bilirim. Geçen yıl annem Ondan Önce Kulübü'ne katılmam gerektiğini söylemişti. Ama sonra "on yaş öncesi" kategorisini oldukça geniş tuttuklarını fark ettim.

Kilise her yıl "Cömert Ağaç" etkinliği düzenliyor. İhtiyaç sahibi insanlar isteklerini zarflara koyup ağaçlara asıyorlar. Sonra bir aile rasgele bir zarf seçiyor ve bu zarfta yazanı satın almakla yükümlü oluyor.

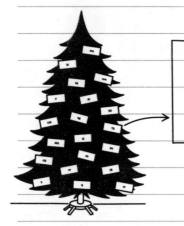

Yetişkin erkek bir atkı ve bir çift eldiven rica ediyor.

Bildiğim kadarıyla, kimlerin Cömert Ağaç'a isteklerini asabileceği konusunda kurallar yok. Ben de şansımı denemeye karar verdim ve kendi adıma bir form doldurdum.

Ama içimden bir ses annemle babamın bunu onaylamayacağını söyledi. Ben de bunu benim yaptığımı anlamayacaklarından emin oldum.

Ergen erkek gönlünüzden koptuğu kadar nakit para rica ediyor. Lütfen parayı üzerinde hiçbir şey yazılı olmayan bir zarfın içinde, kilisenin arkasındaki geri dönüşüm kutusunun altına bırakın.

Not: Sizi kimsenin takip etmediğinden emin olun.

Pazartesi

Bu yıl okulda kantindeki masaların bir bölümünü bir şeritle ayırdılar. Böylece fındık-fıstık alerjisi olan çocuklar yemeklerini ayrı bir bölümde yiyecekler. Okulun bu yaptığı çok güzel bir şey ama bize çok daha az yer kalacağı anlamına geliyor.

Okulda fındık-fıstığa alerjisi olan birileri olduğundan emin değilim çünkü yılın ilk iki ayında şeritle ayrılan bölümdeki masalar tamamen boştu.

Ama galiba Ricardo Freeman ferah ferah oturma fikrini sevdi. Çünkü bugün Fındık-Fıstıksız Bölge'nin ortasında bir masaya yerleşti ve evinden getirdiği fıstık ezmeli, ballı iki sandviçi yedi.

Bugün okulda genel toplantı yapıldı. Film izleyeceğimiz söylenince de herkes çok heyecanlandı. Ama meğer sağlıklı beslenme konusunda şu eğitsel filmlerden biriymiş.

Daha sağlıklı beslenmem gerektiğini biliyorum ama eğer fast food'u beslenme listemden çıkarırsanız başım dertte demektir çünkü yediklerimin %95'ini çıtır tavuk oluşturuyor.

Okul, kantinde satılan abur cuburlara kafayı takmış durumda. Geçen hafta gazoz makinesinin yerine şişe suyu makinesi getirdiler. Ama eğer bir şişe suya bir dolar para alacaklarsa, makineyi koyacak daha uygun bir yer bulmaları iyi olur.

Okul aynı zamanda menüdeki yiyeceklerin bazılarını, örneğin sosisli sandviç ve pizzayı da listeden çıkardı ve yerine daha sağlıklı yiyecekler koydu.

Kızarmış patatesin yerine bile "Ekstrem Spor Çubukları" diye yeni bir şey koydular. Ama aradan beş saniye bile geçmeden herkes Ekstrem Spor Çubukları denen şeyin havuç dilimleri olduğunu anladı.

Ben öğle yemeklerimi genellikle evden getiriyorum. Kantinden yalnızca parça çikolatalı kurabiye alıyorum. Ama geçen hafta parça çikolatalı kurabiyelerin yerini de yulaflı kuru üzümlü kurabiyeler alıverdi. Yine kurabiye alıyorum ama üzümlerin etrafını kemiriyorum. Bu da epey zor oluyor.

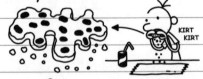

KAÇ kez yulaflı kuru üzümlü kurabiyeyi parça çikolatalı kurabiye olduğunu düşünerek ısırdım, bilmiyorum.

Benim yulaflı kuru üzümlü kurabiyelerin uzun zaman önce şaka aleti olarak icat edildiğine, aslında yenecek bir şey olmadığına ilişkin bir teorim var.

Okuldaki çocukların çoğu menüdeki değişikliklerden pek rahatsız görünmüyor. Ama insanların canını asıl sıkan, enerji içeceklerinin kaldırılması oldu.

Okulda Taşkın Coşku satmaktan vazgeçmelerinin nedeni, öğretmenlerin kırmızı boyanın çocukları hiperaktif yaptığından yakınmalarıymış. Öğleden sonra sınıfa girseniz, neden bahsettiklerini anlarsınız.

Ama Taşkın Coşku'nun satışı birdenbire durunca, günde üç-dört kutu içmeye alışkın olan insanlar sudan çıkmış balığa döndüler. Hatta içeceksiz kalmaktan dolayı titremeler yaşamaya başlayan birkaç çocuk revire gitmek zorunda kaldı.

İnsanlar ne kadar şikâyet ederse etsin, okul Taşkın Coşku'yu geri getirmezdi. Ama ertesi gün Lean Goodson evden aldığı Taşkın Coşkular ile dolu bir sırt çantasıyla geldi ve kutusunu üç papele sattı.

Teneffüste, Lean'den Taşkın Coşku alan birkaç çocuk okulun arka tarafında, kimsenin onları göremeyeceği bir yere sinip içeceklerini mideye indirdiler.

Ancak teneffüs gözcülerinden biri, Bayan Lahey, şüphelendi ve neler olup bittiğini görmek için okulun arka tarafına gitti.

Bayan Lahey herkese içeceklerini bir an önce dökmelerini emretti, aksi halde onları müdüre şikâyet edeceğini söyledi.

Ama o gider gitmez, çocuklar ayakkabılarını çıkardılar ve oluşan gölcükleri çoraplarıyla çektiler.

<u>Salı</u>

Okulun beslenme alışkanlıkları konusunda bu kadar üstümüze gelmesinin nedenlerinden biri Resmi Zindelik Testi'nin yaklaşıyor olması. Bu testte sizi birçok açıdan ölçüyorlar, kaç mekik ve şınav çekebildiğinize filan bakıyorlar.

Geçen yıl bizim okul ülke sıralamasında en alttaki %10'un içerisindeydi. Galiba şimdi bu durumu değiştirmek için ellerinden geleni yapıyorlar.

Yetişkinler, bizim neslin çocuklarında büyük bir sorun olduğunu, yeterince egzersiz yapmadığımız için şekilsiz olduğumuzu söylüyorlar. Ama ben bahçedeki aletleri kaldırmanın bu duruma bir faydası olduğunu hiç sanmıyorum.

Resmi Zindelik Testi'nin bir bölümünde üst üste kaç şınav çekebildiğine bakıyorlar. Bizim sınıfta kızlar bu konuda oğlanlardan daha iyiler ama bunun tek nedeni kızlara daha kolay bir şınav çektirilmesi.

Oğlanlar vücutlarını düz tutmak ve iyice eğilip kalkmak zorundalar.

Oysa kızların dizleri yere değişiyor, yani ÇOK BÜYÜK bir avantajları var.

Gerçi bütün kızlar oğlanlardan daha kolay şınav çekmekten memnun değil. Hatta iki kız, oğlanlarla aynı şekilde şınav çekmek için dilekçe yazdı.

Bu fikrin akıllarına nereden geldiğini bildiğimden eminim. Sosyal Bilgiler dersinde, tarih boyunca insanların hoşnut olmadıkları şeylere karşı çıkmak için uyguladıkları farklı yöntemleri görüyoruz.

Bence kızlar Bay Underwood'un şiddetle itiraz edeceğini düşünüyorlardı. Ama Bay Underwood isterlerse normal şekilde sınav cekebileceklerini söyledi. Artık hepimiz için koşullar eşitti.

Ama ben dilekçenin iyi bir yöntem olduğunu düşündüm. Biz oğlanlara da istememiz halinde kolay sınav çekme izni verilmeliydi. Bunun üzerine oturup bir dilekce yazdım ve imza toplamaya çalıştım.

Ama dilekcemi imzalamak isteyen oğlanları görünce kötü bir hisse kapıldım ve vazgecmeye karar verdim.

İki hafta önce, beden eğitimi dersinde mekik çekmemiz gerekiyordu. Ama benim karnıma ağrı girdi. Bay Underwood'a mekiklerin geri kalanını ev ödevi olarak çekip çekemeyeceğimi sordum. Olur dedi ama bütün mekikleri çektiğime dair kanıt istedi.

Ben de ertesi sabah annemin göz kalemini aldım ve karnıma baklava karın kasları çizdim. Sonra, Bay Underwood'un soyunma odasına girdiğini görünce, hemen gömleğimi çıkarıp görmesini sağladım.

Tabii bundan sonra ilk fark ettiğim şey taklitçilerimin olduğuydu. Ertesi gün bizim sınıftaki çocukların yarısı kendi sahte baklava karın kaslarıyla dolaşıyorlardı.

Ama bazıları makyaj konusunda SAHİDEN çok beceriksizmiş.

Yine de bence Bay Underwood'u kandırmayı başardık. En azından terleyip de göz kalemleri akana kadar.

Çarşamba

Son birkaç gündür Netcikler hesabı alarm veriyor. Eğer en kısa sürede Netcikler jetonu alamazsam, sorun yaşarım.

110

Anneme, evcil hayvanımın keyifmetresini yeniden "Sakin"e getirmem için bana biraz borç para verip veremeyeceğini sordum. Vermedi.

Ayrıca bu yıl ailedekilere Noel armağanı almam için bana vermesini de beklemememi söyledi. Artık kendi paramı harcamam gereken yaşa gelmişim, ancak o zaman armağanların "bir anlamı" olurmuş.

Annem genellikle armağanlara harcamam için bana yirmi dolar verir. Ben de bütün alışverişimi okuldaki Noel Pazarı'ndan yaparım. Bu harika bir fırsat çünkü hem bütün Noel alışverişimi tek bir yerde halledebiliyorum hem de Pazar'daki her şey sudan ucuz.

Sonunda elimde kendim için harcayabileceğim para bile kalıyor.

MANNY · BABA · RODRICK · ANNE

Paramın çoğunu yiyecek standında harcıyorum. Burada hayatımda yediğim en lezzetli çıtır tavukları yapıyorlar. Ama öyle salak bir isim koymuşlar ki insan sipariş verirken kendini aptal gibi hissediyor.

BEN ŞU TAVUK BUTLARINDAN ALABİLİR MİYİM?

BAGETTALARDAN MI YANİ?

ADI HER NEYSE İŞTE.

Herkese armağan almaya yetecek kadar parayı nerden bulacağım bilmem. Yıl içinde alacağım harçlıklara güvendiğim iki zaman var, doğum günüm ve Noel.

Doğum günümün Noel'den birkaç ay sonra olmasına seviniyorum, böylece İKİSİNDE de ayrı armağanlar alabiliyorum. Doğum günleri, diğer özel günlere yakın olan insanlara çok üzülüyorum. Çünkü doğum günleri arada kaynamış oluyor ve tek bir armağana razı olmak zorunda kalıyorlar.

Bu haksızlık ama galiba binlerce yıldır böyle gelmiş böyle gidiyor.

BU ARMAĞAN NOEL VE DOĞUM GÜNÜN İÇİN, İSA!

YA, TEŞEKKÜRLER.

Ama bugün bir şey fark ettim. Nakit param olmayabilir ama değerli bir şeyim VAR. "Druid Kulesi" çizgi romanının imzalı ilk baskısı.

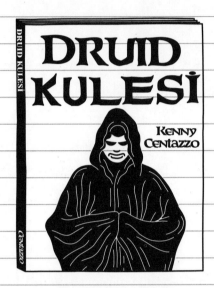

Geçen yıl şehirde düzenlenen çizgi roman fuarında "Druid Kulesi"ni yazarı Kenny Centazzo'ya imzalatmıştım.

Aslında teknik olarak ben imzalatmadım, annem imzalattı. İki buçuk saat kuyrukta beklemiştim, sonunda tuvalete gitmem gerekti. Geri döndüğümde, annem kitabı imzalatmıştı bile.

Kenny Centazzo ile tanışamadığım için çok
bozulmuştum ama en azından imzasını almıştım.

Bugün bilgisayarda baktım ve "Druid Kulesi"nin
imzalı ilk baskısının kırk papel ettiğini gördüm.
Bu, Noel armağanlarını almama yeter. Hatta
Gregory'nin Küçük Arkadaşı'na istediğini tahmin
ettiğim o jakuziyi alacak kadar da param kalır.

Anneme kitabı satma planımdan söz ettim. Bu
fikir pek hoşuna gitmedi. O kitabı imzalatmak
için çok uzun süre beklediğimi ve satarsam pişman
olacağımı söyledi.

Anneme göre, çocuklarım olduğunda bana çok kızacaklarmış çünkü bu kitap o zaman bir servet edecekmiş.

Ama bana göre hava hoş. Ben çoktan çocuk sahibi OLMAMAYA karar verdim. Charlie Amcam gibi bekar kalıp bütün paramı tatillere, alttan ısıtmalı klozetlere filan harcamayı düşünüyorum. Neden değer bilmeyen nankör çocuklara bakmak zorunda kalayım ki?

Kütüphane sorumlumuz Bayan Schneiderman'a beni "Druid Kulesi" ile tanıştırdığı için teşekkür borçluyum çünkü okul kütüphanesinde çizgi roman köşesini o kurdu.

İyi ki çizgi romanlar var. Bazı öğretmenler bunları okumanın KİTAP OKUMAK sayılmayacağını söyleyip şikâyet ediyorlar ama bence, çizgi romanlar arık kütüphaneye de girdiğine göre kitap okuma ödevlerinde de kullanılabilir bal gibi.

Ne yazık ki Bayan Scheiderman çizgi romanları getirdiğinde, Kolay Okuma köşesini kaldırdı. Eskiden Sosyal Bilgiler dersi için ödev hazırlarken Kolay Okuma köşesindeki kitapları kullanıyordum. Çünkü birine göz atmak kırk beş saniye filan sürüyor.

Abraham Lincoln çocukluğunda kitap okumayı çok severdi!

Küçükken ben de yazar olmak isterdim. Ama anneme fikirlerimi anlatmaya başladığımda, hikâyemin daha önce yayınlanmış olan bir kitaptakine çok benzediğini söyledi.

Ben de bütün iyi fikirlerin ben daha doğmadan kullanılmış olduğunu fark ettim.

Annem, eğer yazar olmak istiyorsam orijinal bir şeyler yaratmam gerektiğini söyledi. Ama yepyeni bir fikir bulmak çok zordu. Ben de en sevdiğim kitaplardan birini aldım ve birkaç küçük değişiklikle aşağı yukarı kelimesine kelime kopya ettim.

Annem yazdıklarımı okuduğunda çok etkilendi. Galiba benim deha filan olduğumu düşündü.

Ama sanırım annem kendini biraz fazla kaptırdı. Kitabımı New York'ta bir yayıncıya yolladı. Yayıncı da ona benim çok satan bir çocuk kitabı olan "Goril Geoffrey"i kopya ettiğimi söyledi.

Annem kitabı kendi kitabım diye yutturduğum için bana çok kızdı. Ama ben asıl onun bunu kitabı okuduğunda anlamamasına şaşırdım.

Dinozor Geoffrey bir ağaçtan diğerine atlayıp duruyordu.
Bir ağaca tünüyor
ve muz yiyordu.
Göğsünü yumruklarken
"Ah ah ah!" diye bağırıyordu.

Perşembe

Of, meğer benim "Druid Kulesi" kitabımın ilk baskı kopyasının bir değeri yokmuş. Dün kitabı nakit paraya çevirmek için çizgi roman dükkânına götürdüm ama orada çalışan adam bana imzanın sahte olduğunu söyledi.

Ona ağzından çıkanı kulağının duyup duymadığını sordum ve kitabı yazarın ta kendisine annemin imzalattığını söyledim. Ama satıcı bana içinde Kenny Centazzo'nun imzasının olduğu bir katalog gösterdi. İki imzanın birbiriyle ALAKASI yoktu.

Kafam karışmıştı. Ama eve giderken meseleyi çözdüm. Annem fuarda sırada beklemekten yorulmuş ve kitabı KENDİ imzalamıştı mutlaka. Aslında bunu yazıdan anlamış olmalıydım.

Okuyan kazanır! Hayallerinin gerçek olması için okumaya devam et!

Dostun Kenny

Annem böyle bir şeyi İLK kez yapmıyordu çünkü kuyrukta beklemeye karşı SIFIR sabrı var.

Küçükken, oyun parklarındaki karakterlerle fotoğraf çektirmeyi çok severdim. Ama beş dakikadan fazla bekleyecek olsak, annem kuyruğun önüne doğru yürür, karakterin ve o sırada onunla birlikte poz vermekte olan çocuğun fotoğrafını çekerdi. Bu yüzden seyahat albümlerimiz tanımadığımız insanların fotoğraflarıyla dolu.

Eve döndüğümde, elimde kitapla doğruca annemin odasına gittim. Yüzündeki ifade her şeyi anlatıyordu. O anda neden kitabı satmamı istemediğini anladım.

Umarım annem, eğer Noel'de benden bir armağan alamazsa bunun tek suçlusunun kendisi olduğunu biliyordur.

Cuma

Sahte imza yüzünden anneme hâlâ çok kızgınım ama bugün hayatımı kurtardı. Okulda Rowley'in elinde bir armağan vardı. Bunun ne için olduğunu sordum. Sürpriz Noel Arkadaşı armağanı olduğunu söyledi.

Sürpriz Noel Arkadaşı meselesini TAMAMEN unutmuşum.

Okulda herkes kendine çıkan birine hediye alıyor ve bunlar isim belirtilmeden dağıtılıyor.

Benim uzun süredir tanıdığım Dean Delarosa'ya hediye almam gerekiyordu. Üçüncü sınıftayken, Dean'in doğum günü partisine davet edilmiştim. Ama annem tarihi yanlış yazmıştı ve Dean'in evine bir hafta ERKEN gitmiştim.

Dean'in annesi partinin ertesi hafta olduğunu söyledi, biz de tıpış tıpış eve döndük.

Ama annemin Dean için aldığı hediye çok güzeldi gerçekten. Ben de onunla kendim oynamaya başladım.

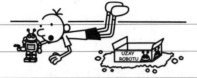

Dean'in doğum günü geldiğinde, robotun bir elini kırmıştım, yanındaki tabanca da kaybolmuştu. Bu yüzden partiye gidemedim.

O zamandan beri vicdan azabı çekiyorum. Bugün de ikinci kez hediye konusunda Dean'e haksızlık etmek istemedim. Bu yüzden okula gittiğimde, okul sekreterinden annemi aramasını ve benim adıma bir hediye alıp alamayacağını sormasını istedim.

Annem tam zamanında geldi.

Öğretmen, Gizli Noel Arkadaşı hediyelerini dağıtmaya başladı. Bana bir kavanoz ayıcık şekerlemesi geldi. Sonunda ağacın altında tek bir hediye kalmıştı, o da Dean'in hediyesiydi.

Ne yazık ki annem hediyenin üzerinde kimden geldiğinin YAZMAMASI gerektiğini anlamamış. Bu yüzden öğretmen, Dean'in hediyesinin üzerindeki kartı yüksek sesle okuyunca çok utandım.

"BURADA, 'DEAN DELAROSA'YA, GİZLİ NOEL ARKADAŞI GREG HEFFLEY'DEN YAZIYOR'"

Dean masasının altına girip saklanmak istiyordu sanki. Ben de aynı duygular içerisindeydim.

Cumartesi

Dünyada Bagettalar alınabilecek tek yerin Noel Pazarı olduğunu sanıyordum. Ama bugün annemle markete gittik ve ister inanın ister inanmayın, donmuş ürünler reyonunda şunu buldum:

Artık ne zaman istersen BAGETTA yiyebileceğimi ve Noel Pazarı'nda bizi resmen kazıkladıklarını biliyorum. Okulda üç ya da dört parça Bagetta verdikleri fiyata marketten koca bir KUTU alabiliyorsun.

Hatta, artık kendi Bagettalarımı alabildiğime göre, KENDİ Noel Pazarı'mı işletebileceğimi fark ettim.

Ama önce okuldan önce davranıp marketteki bütün stoğu almalıydım.

Mahalledeki diğer çocuklar daha önce buna benzer bir şey yapmışlardı. Geçen yaz Bryce Anderson ve bir grup arkadaşı mahalledeki anne babalar için bir restoran açmışlardı.

Neredeyse üç yüz papel kazandıklarını duydum. Bryce'in ortaklarından birinin kendi payına düşen parayla yepyeni bir havalı tüfek aldığını biliyorum.

Noel Pazarı'nı tek başıma işletemeyeceğimi biliyorum, bu yüzden Rowley'i aradım ve bana yardım etmesini istedim. Bizim bodrumda satabileceğimiz Noel süsleri ve diğer malzemeler bulduk. Ama düşündüm de, eğer okulun Noel Pazarı ile rekabet edeceksek, tilt ve langırttan daha yaratıcı oyunlar bulmalıydık.

Rowley dunk tank* önerdi ama annemin evde buna izin vereceğini sanmadığımı söyledim. Üstelik yazın Rowley'lerin bahçesinde lunapark işletirken dunk tank'ımız vardı ve sonuç FELAKET oldu.

* İki kişi ile oynanan bu oyunda bir kişi Dunk Tank'taki platform üzerine oturuyor, diğeri ise panodaki hedefi vurarak arkadaşını suya düşürüyor

Dunk tank'taki kişiyi onu bir kafese koyarak korumamız gerektiğini bilmiyorduk.

Rowley ile Noel Pazarı'nda bir bilgisayar oyunları bölümünün olmasının çok havalı olacağına karar verdik. Gerçek makineler alacak paramız yoktu, biz de makinelerin el işi versiyonlarını yapmak için bodrumda karton kutular bulduk.

İşe Pac-Man ile başladık çünkü onu yapmak çok kolay olacaktı. Pac-Man'de, bir yandan hayaletler tarafından kovalanırken bir yandan da minik yuvarlakları yemeye çalışan küçük bir karakter var.

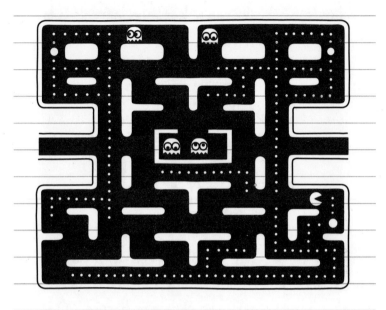

Bizim versiyonumuzda, Rowley kutunun
içinde olacak ve kurşun kalemle hayaletleri
oynatacaktı. Oyunu oynayan çocuk ise dışarıdan
bir dondurma çubuğuyla Pac-Man'i hareket
ettirecekti.

Bundan sonraki iki saati kutunun gerçek gibi görünmesi için uğraşarak geçirdik.

Ama biz çalışırken, Rowley kutunun içinde ne kadar süre kalacağını ve eğer tuvalete gitmesi gerekirse ne yapacağını sormaya başladı. Ona Bir Numara'sı gelirse kutunun içinde kullanması için iki litrelik boş bir gazoz şişesi verdim.

Rowley, İki Numara'sı gelirse ne yapacağını sordu. Ben de bunu zamanı gelince düşüneceğimizi söyledim.

Makineyi boyamayı bitirdiğimizde, dondurma çubuklarının gireceği delikleri açmaya başladık.

Ama galiba pek ileriyi düşünmemişiz. Çünkü dış çizgiyi kestiğimizde, bütün labirent makinenin içine düştü.

Yani, eğer insanlar bir kutunun içinde oturan Rowley'i görmek için yirmi beş sent vermeye razı olmazlarsa, Pac-Man'den pek fazla para kazanamayacağız galiba.

Pazar

Rowley ile Noel Pazarı için yapmamız gereken çok iş var daha. Ama insanlara haber vermek için son dakikayı beklemememizin iyi olacağını düşündüm. Bunun üzerine kasabanın gazete bürosuna gittik ve yarınki gazeteye tam sayfa renkli ilan vermek istediğimizi söyledik.

Böyle bir reklamın bin dolara malolacağını söylediler. Biz de bu parayı etkinlikten SONRA ödeyebileceğimizi anlattık. Onlara satmayı planladığımız bagettaları anlattığım halde veresiye çalışmayı kabul etmediler.

Onlara, belki sıradan iki çocuğun kendi Noel Pazarlarını açmasıyla ilgili bir haber yapabileceklerini ve bunun için bizden para almayabileceklerini söyledim.

Ama bizim Noel Pazarımızın "haber değerinin" olmadığını düşünüyorlarmış.

Bence insanların aldıkları bilgilerin kontrolünün temel olarak gazetenin elinde olması çok kötü. Evde, anneme bundan yakındım. Annem, Rowley ile kendi gazetemizi çıkarabileceğimizi ve bu gazetede Pazarımızı yazabileceğimizi söyledi.

Bunun HARİKA bir fikir olduğunu düşündüm. Hemen işe koyulduk. Gazetemize bir isim bulduk ve birinci sayfayı oluşturduk.

MAHALLENİN SESİ

Bagettalarda Fiyat Oyununa Son!

Mahallenin Sesi muhabirleri, yıllardır kontrol edilmeden işletilen okul Noel Pazarı'ndaji fiyat skandalını ortaya çıkardı. Bugünlerde çok popüler olan tavuk butları "Bagettalar" Pazar'da, perakende fiyatlarının altı katı fiyata satılıyor. Sadık müşterilerden biri "Çok öfkeliyim" diyerek... Devamı BAGETTALAR, A2

Yeni Pazar, Okul Etkinliğine Alternatif Sunuyor

Kamuoyunda Bagettalar'e gelen tepkilerden sonra, iki çocuk her şeyi yoluna koymaya karar verdiler.

"Biz de kendi Noel Pazarımızı kurmaya karar verdik," dedi girişimci Greg Heffley... Devamı, **PAZAR** A3

İnsanların gazetemizi ciddiye almaları için biraz daha sayfa eklememiz gerektiğini fark ettik. Bunun üzerine ekleyebileceğimiz bölümler konusunda beyin fırtınasına başladık. Ben, karikatür bölümümüzün olması gerektiğini düşündüm. İşe oradan başladık.

İnsanların yaşadıkları sorunlarla ilgili sorular sorabilecekleri bir öğüt köşesi ekledik. Ama insanların gerçek sorular göndermelerini bekleyecek vaktimiz yoktu, biz de birkaç soru uydurduk.

Greg'e Sorun

Sevgili Greg

Karım yaptığım her şeyi eleştiriyor. Geçen gün biraz üşüyordum, sandaletlerimin içine çorap giydim.

Karım beni zorla içeri geri soktu ve ayakkabı giydirdi! Bana çocuk gibi davrandığını hissediyorum.

Ama o kadar güçlü bir kişiliği var ki ona karşı gelmeye korkuyorum. Ne yapabilirim?

Saygılarımla,
Çaresiz

Sevgili Çaresiz

Sandaletlerin içine ASLA çorap giyilmez. Karından hemen özür dilemelisin.

Greg

Sevgili Greg

Bekar mısın?

Selamlar
HANIMLAR

Sevgili HANIMLAR

Evet, bekârım, ne olmuş?

Greg

Bu gazete meselesi Rowley'i çok heyecanlandırmıştı. Gerçek bir muhabir olmak ve çıkıp haber peşinde koşmak istediğini söyledi. Ben de çıkıp mahalleyi dolaşmasını ve haber kokusu alıp almadığına bakmasını istedim. Ama Rowley pek de heyecan verici haberlerle dönmedi.

Kediciğin komik günü

ROWLEY JEFFERSON

Dün Bayan Salter'in yavru kedisi Pisicik ön bahçede oynarken görüldü. Pisicik, bir buçuk saat Bayan Salters'in açelyalarının etrafında uçan bir kelebeği kovaladı. Kelebek uçup gidince, Pisicik ön verandada zıplayan bir şeyle ilgilenmeye başladı. Ama ben Pisicik'in kovaladığı şeyi görmek için yaklaşınca, o şey sıçrayarak uzaklaştı.

Pisicik dün güzel havanın tadını çıkardı.

137

Kendimi genel yayın yönetmeni yapmaya karar verdim, böylece gazetemizde yer verdiğimiz şeyleri kontrol edebilecektim. Çünkü Rowley'e kalırsa, gazetemiz küçük bir kızın boyama kitabına dönecekti.

Annem, kasabadaki işyerlerine gitmemiz ve ilk baskımızın maliyetini karşılamak için ilan verip vermeyeceklerini sormamız gerektiğini söyledi. Gazeteye ilan parası ödemeye gönüllü olan ilk kişi Papa Tony Pizza'dan Tony oldu. Bize yardım etmeye razı olmasının nedeninin haftada en az iki kez orada yemek yememiz olduğundan eminim. Bizi müşteri olarak kaybetmek istemiyor.

Tony bize renkli kartuş almaya yetecek kadar para verdi. Biz de yüz kopya gazete bastık.

Pazartesi

Dün dolaşıp gazeteleri satmaya çalıştık ama kimse para vermek istemiyordu. Sonunda bedava dağıtmak zorunda kaldık. Tony gazetesini aldığında, ilanının kendi restoranıyla ilgili kötü bir yorumun yanında yer almasından pek hoşlanmadı.

Papa Tony'nin pizzası berbat!

Yemek Eleştirmeni
~~Greg Heffley~~

Papa Tony'nin son zamanlarda düşüşe geçtiğini fark ettiniz mi? Her şey barbekü tavuk pizzayı mönülerinden çıkarıp yerine ıspanaklı pizza koymalarıyla başladı. Sonra üzüm suyu satmaktan vazgeçtiler. Papa Tony, kasabada üzüm suyu satan ilk yerdi.

Artık vişne suyu içmek zorundayız ama aynı şey değil. Bir de meyve sularının kıvamını tutturamıyorlar. İnsanı iki kat fazla verip kutulu meyve suyu almak zorunda bırakıyorlar. Son şikayetim de peçetelerle ilgili. Eskiden istediğiniz kadar peçete kullanabiliyordunuz. Ama artık Tony sadece iki peçete veriyor ve daha fazlasını alırsanız size pis pis bakıyor.

Papa Tony

İki Al Bir Öde

Orta boy pizza siparişi ver, ikinciyi bedavaya al!

Pizzanın malzemelerini dilediğiniz gibi seçebilirsiniz.

BU KAMPANYA
31 ARALIK'A KADAR GEÇERLİDİR

Ona eğer gazetenin bir sonraki baskısına daha BÜYÜK bir ilan verirse, daha olumlu bir yazı ayarlayabileceğimizi söyledim.

Elimizde otuz-kırk gazete kaldı. Nasıl olsa bedava dağıttığımız için, okulda bitirebileceğimizi düşündüm.

Ama gazeteleri kapıdan içeri giren çocuklara vermeye başladığımda, Müdür Yardımcısı Roy ne yaptığımı sordu.

Okulda "izinsiz yayın" dağıtamayacağımı, gazetelerime el koyması gerektiğini söyledi. Ama ben ASIL meseleyi biliyordum. Bay Roy, kendi Noel Pazarımız ile okulun kazanacağı paranın önünü keseceğimizi tahmin etti.

Eve geldiğimde bu mesele yüzünden çok sinirliydim. Pes etmemeye ve Bay Roy'a pabuç bırakmamaya karar verdim.

Bay Roy gazetelerimizi almış olsa da, tabelalar hazırlayabilir ve reklam yapmak için bunları kasabaya asabilirdim.

Annemin okulda lazım olur diye çamaşır odasında karton ve renkli kalemler sakladığını biliyordum. Hemen işe koyuldum. Fosforlu yeşil karton kullandım çünkü tabelalarımızın bir kilometre öteden görülebilmesini istiyordum.

Yemekten sonra afişleri bitirdim ve bunları asmama yardım etmesi için Rowley'i çağırdım. Önce okuldan başladık çünkü sabah çocuklarını okula bırakmaya gelen bir sürü velinin bunu görebileceğini düşündüm.

Ama tam afişleri asmayı bitirmiştik ki yağmur yağmaya başladı ve renkli kalemler aktı. Çok geçmeden afişler berbat hale gelmişti.

Eğlence! Oyunlar! Ödüller!

Afişleri indirdiğimizde, büyük bir şokla karşılaştık. Yağmur, afişlerin kartonlarının yeşil boyasının da akmasına neden olmuştu ve tuğla duvarda kocaman yeşil lekeler kalmıştı.

Duvardaki yeşil boyayı çıkarmaya çalıştı ama sanki çıkmayan mürekkep gibiydi.

Okulun her yerinde dev yeşil lekeler bırakamayacağımızı biliyordum. Bundan sonra ne yapacağımızı düşünmeye çalıştım. Ama tam o sırada caddeden biri bize seslendi.

Rowley ile paniğe kapılıp kaçtık. Koşarak otoparkı geçip korudaki kestirme yola daldık. Peşimizdekine izimizi kaybettirdiğimizden emin olana kadar koştuk.

Keşke koşmasaymışız. Çünkü eğer kalıp derdimizi anlatsaydık, sorun çıkmazdı belki. Bize seslenenin veli mi polis mi ya da KİM olduğunu bilmiyorum. Ama umarım bizi tanımamışlardır. Çünkü eğer tanıdılarsa, başımız CİDDİ dertte demektir.

Salı

Bu sabah uyandığımda, belki de dün gece olanlar kötü bir kâbustur, diye düşündüm. Ama sonra mutfak masasının üzerindeki gazeteyi gördüm.

Daily Herald

Saldırganlar Okulda

Önceki gece, karanlık ve yağmurdan cesaret alan saldırganlar ortaokulun duvarlarında büyük, parlak yeşil lekeler bıraktılar. Yeşilin anlamı henüz bilinmiyor ama polis bunun çete-bağlantılı olabileceğinden şüpheleniyor. Başkomiser Peters, son altı ay içinde duvar yazısı sanatçılarının önemli ölçüde hasara yol açtığını söyledi.

Devamı A2

İki genç önceki gece okulun duvarlarında yeşil lekeler bıraktı

Solda: Görgü tanıklarının ifadesine göre oluşturulan robot resimler

Saldırganlar, yoldan geçenlerin kendilerini görmeleri üzerine kaçtılar

Yani ben artık bir suçluyum. İster inanın ister inanmayın, haksız yere suçlandığım ilk olay değil bu.

İzci takımındayken, Hizmet Projesi ödülünü kazanmaya çalışıyordum. Birine iyilik yapmam gerekiyordu. Annem emekliler sitesine gidebileceğimi ve yaşlıların marketten aldıklarını taşırken ya da başka işlerde yardıma ihtiyacı olup olmadığına bakabileceğimi söyledi. Rodrick'ten de beni oraya götürmesini istedi.

145

Emekliler sitesinin otoparkına girdiğimizde, sanki kaybolmuş gibi yürüyen yaşlı bir kadın gördük.

Kadına yardıma ihtiyacı olup olmadığını sorduk. Apartmanın diğer tarafındaki süpermarkete gittiğini söyledi. Ama ben en yakın süpermarketin tam tersi yönde ve epey uzakta olduğunu biliyordum. Ona kendisini oraya götürebileceğimizi söyledik.

Tek koşul arkada oturmasıydı çünkü ön koltuğu ben çoktan kapmıştım.

Kadını süpermarkete bıraktık ve eve gittik. Anneme yaptığım iyiliği anlatmak için sabırsızlanıyordum. Ona kadını, emekliler sitesine çok uzak olan süpermarkete nasıl bıraktığımızı ve o kadar yolu yürümekten nasıl kurtardığımızı anlattım.

Ama annem emekliler sitesine bir kilometre ötede yeni bir market açıldığını, kadının da büyük olasılıkla ORAYA gitmek istediğini söyledi. Yani onu asıl gitmek istediği yerin çok uzağına bırakmıştık ve şimdi eve dönebileceği bir taşıt yoktu.

Annem geri dönmemiz ve kadını bulmaya çalışmamız gerektiğini söyledi. Biz de yaşlı kadını bıraktığımız süpermarkete gittik. Ama kasiyer onun alışverişini bitirip çıktığını söyledi.

Sonunda kadını elinde alışveriş poşetleriyle yolda yürürken bulduk.

Ona kendisini emekliler sitesine bırakmayı teklif etmeye çalıştık ama bu kez arabaya binmek istemedi.

Galiba eve gidince bizi şikâyet etmek için yerel televizyon kanalını aramış. O gece haberlerdeydik.

Bu okula saldırı meselesi ÇOK ciddi görünüyor. Neyse ki görgü tanıklarının ifadeleri ile çizilen robot resimler Rowley ile bana pek benzemiyor, bu yüzden belki de sorun çıkmaz diye düşündüm. Ama okula gittiğimde herkes bu yeşil lekelerin arkasında kimin olduğunu merak ediyordu.

Okulda üçüncü derste genel bir toplantı yapıldı, konu da okulun ön tarafında yapılan duvar yazısı çalışmasıydı. Bay Roy birilerinin ön duvarı sprey boya ile boyadığını ve faillerin okuldan öğrenciler olduğuna kesinlikle inandığını söyledi.

Oditoryumdan birilerinin bunun sorumlusunu bildiğini ve "vicdan azabıyla" yaşamanın çok kötü olduğunu ekledi. Şimdi kantine kilitli bir kutu koyacak ve böylece birinin isimsiz bir ipucu bırakmasını kolaylaştıracakmış.

Öğle yemeğinde, Rowley'in korkudan
deliye döndüğünü gördüm. Ona bu saldırı
meselesinin abartıldığını, bizim aslında yanlış
bir şey yapmadığımızı hatırlattım. Ama
Rowley eğer siciline suç işlenirse, üniversiteye
gidemeyeceğini, iş bulamayacağını ve bütün
geleceğinin mahvolacağını söyledi. Biraz zaman
aldı ama sonunda onu sakin olmaya ve konunun
kapanmasını beklemeye ikna ettim.

Yemekten sonra okula POLİS geldi. Bay
Roy da bütün öğrencileri birer birer odasına
çağırmaya başladı. Önce birinin bizi teşhis
ettiğinden korktum ama sonra Bay Roy'un en
belalı çocukları çağırdığını fark ettim.

151

İşte o anda ortada hiçbir gerçek kanıt olmadığını anladım ve rahatlamaya başladım.

Teneffüste, Mark Ramon adındaki bir çocuk bize sorguya gittiğinde neler olduğunu anlattı. Polisin elinde yalan makinesi denen bir alet varmış. Bunun çok iyi çalıştığını, dolayısıyla yalan söylemenin bir anlamı olmadığını iddia ediyorlarmış.

Mark, "yalan makinesinin" aslında bir fotokopi makinesi olduğunun çok belli olduğunu söyledi. Ama Mark ne zaman polisin hoşuna gitmeyen bir şey söylese, Başkomiser Peters "copy" düğmesine basıyormuş ve makineden bir kâğıt çıkıyormuş.

Yalan Söylüyor

Galiba polis sonunda pes etti çünkü öğle yemeğinden sonra Bay Roy çocukları odasına çağırmaktan vazgeçti. Ben de tehlikeyi atlattığımızı düşünmeye başladım.

Çarşamba

Bugün okula gittiğimde, yeşil boya meselesinin kapandığını düşünüyordum. Bu yüzden sabah anonsları sırasında hoparlörde adımın söylendiğini duyunca çok şaşırdım.

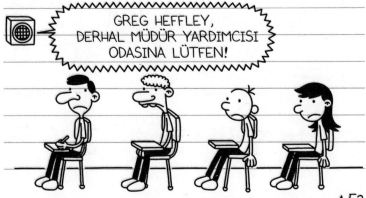

GREG HEFFLEY, DERHAL MÜDÜR YARDIMCISI ODASINA LÜTFEN!

Müdür Roy, odasına girdiğimde oturmamı söyledi. Yeşil lekeler konusunda "sanıklardan" biri olduğumu bildiğini ve kendimi savunmak için söyleyecek bir şeyim olup olmadığını sordu.

Yalan makinesini görmek için etrafıma bakındım ama göremedim. En iyisinin susma hakkımı kullanmak ve belki bir avukat istemek olduğuna karar verdim. Sonra Bay Roy isimsiz ipucu kutusundan bir kâğıt çıkardı ve bana gösterdi.

> Okula Greg Heffley ve ben saldırdık.

Birden her şey açıklığa kavuştu.

Rowley itirafta bulunmuş ama kendi adını gizli tutmuştu. Bunu bilerek mi yaptı yoksa salaklığından mı bilmiyorum. Ama ikinci seçeneğin doğru olduğunu tahmin ediyorum.

O noktada susmanın bir anlamı olmayacağını düşündüm. Bay Roy'a bütün hikâyeyi anlattım. Ona tabelalardan, yağmurun kartonun rengini nasıl akıttığından ve bizim de nasıl paniğe kapılıp kaçtığımızdan söz ettim.

Bay Roy bir an düşündü. Sonra bunları daha önce itiraf etmem gerektiğini söyledi. Dersimi aldığımdan emin olmak için bana ceza verecekmiş. Okul çıkışında duvardaki boyayı çamaşır suyu ile silmek zorundaymışım.

Ardından bana bir seçenek sundu.

İstersem "işbirlikçimi" söyleyebilirmişim ya da cezayı tek başıma çekebilirmişim.

Hiç kolay bir tercih olmadığını söylemeliyim. Adımı kâğıda yazdığı için Rowley'in canına okumayı çok istiyordum. Ama bir yandan da bu işe onu ben sürüklemiştim, bu yüzden ikimizin birden başının belaya girmesinin bir anlamı yoktu.

Bu seferlik takım için kendimi feda etmeye karar verdim.

Umarım Rowley ileride iyi bir üniversiteye gider ya da harika bir iş bulursa, beni de düşünmeyi unutmaz.

<u>Perşembe</u>

Dün duvardaki yeşil boyayı çıkarmak iki
saatimi aldı, çok zor bir işti. Bay Roy'dan,
işleri hızlandırmak için bana birkaç bulaşık teli
bulmasını istedim ama o çamaşır suyuyla devam
etmemde ısrar etti.

Sonunda eve gittiğimde saat beşti ve kapıda
bir not vardı. Okuduğumda, az kalsın düşüp
bayılacaktım.

**Kasaba
Polis Amirliği**

Geldik ama
evde kimse yoktu.
Daha sonra yine geleceğiz.

Başkomiser Peters

Bay Roy'un beni polise ihbar ettiğine
inanamıyordum. Bunun aramızda kalacağını ve
cezamı çektiğime göre konunun kapanacağını
sanıyordum.

157

Tek bildiğim şu: Ben hapse filan giremem. Bu yıl bizi okul gezisinde bölge hapishanesine götürdüler. Mahkûmlar bize hapishanede hayatın nasıl olduğunu anlattılar. Herkes çok korktu.

Ama beni asıl korkutan bir yere kapatılmak değil. Hücrelerdeki tuvaletlerin ortalık yerde ve açıkta olması.

Ben mahremiyet konusunda ÇOK hassasım. Okulda tuvaletten çıktığında herkesin ayrıntıları öğrenmek istemesi yeterince kötü zaten.

Daha önce hiç yasaları çiğnemedim ama küçüklüğümde çiğnediğimi SANMIŞTIM: Süpermarkette "MİNİ TURTA KULÜBÜ" adında bir etkinlik düzenlemişlerdi. Sekiz yaşın altındaki herkese bedava bir mini turta veriyorlardı. Benim de üyelik kartım filan vardı.

Ben sekiz yaşından SONRA da mini turta almaya devam ettim. Her alışımda da yakalanacağımı düşündüm. Derken bir gün TAM ben çilekli dondurmalı turtamı ısırırken alarm ötmeye başladı.

Şimdi geriye dönüp baktığımda, birinin yanlışlıkla yangın alarmını devreye soktuğundan eminim. Ama o zaman kesin olarak alarmın benim yüzümden öttüğüne ve polislerin içeri dalıp beni tutuklayacaklarına inanmıştım.

Koşmaya başladım. Neyse ki annem beni birkaç sokak ötede buldu. Çünkü ben o sırada bir kanun kaçağı olduğumu ve suç hayatıma başladığımı düşünüyordum.

Ama bu okula saldırı meselesi, Mini Turta Kulübü
hikâyesinden çok daha ciddi. Bu yüzden annem
Manny ile birlikte eve geldiğinde, ona nottan
söz etmedim.

Ben asıl BABAMI düşünüyordum. Son
zamanlarda aramız pek iyi değil. Daha bu sabah
bir olay yaşadık, eminim bu yüzden hâlâ bana
kızgındır.

Birinin evin kapısını çaldığını duyduğumda
uyuyordum. Canım yataktan kalkıp kapıyı açmak
istemedi.

Kapıdaki her kimse şimdi gider ve daha sonra tekrar gelir, diye düşündüm.

Ama ses giderek yükseldi. Kapıdaki her kimse manyak gibi davranıyordu. Yorganların altına gömüldüm ve kapıyı daha fazla çalmaması için dua ettim.

Polis çağırmayı düşündüm ama sonra benim kanun tarafından aranan bir adam olduğunu ve sorunu kendi başıma çözmem gerektiğini hatırladım.

Sonunda cesaretimi topladım ve alt kata inip kendimi korumak için garajdan bir beysbol sopası almaya karar verdim.

Derken ortalık sessizleşti. Perdeyi çekip o kişinin hâlâ orada olup olmadığına baktım. Basamaklarda babamı görünce çok şaşırdım.

Kravatı kapıya sıkışmıştı, anahtarını da içeride unutmuştu. Kurtulabilmesi için benim kapıyı açmama ihtiyacı vardı.

Yani babamın eline geçen ilk fırsatta beni ıslahevine göndermek isteyeceğinden eminim. Hatta eğer polisler geldiğinde evde olursa, beni gözünü kırpmadan onlara teslim eder.

Galiba babam konusunda endişelenmeme gerek yok, en azından önümüzdeki yirmi dört saat boyunca. Bu akşam yemek saatlerinde çok şiddetli kar yağmaya başladı. Babam, annemi aradı ve arabayla eve gelmesinin tehlikeli olduğunu, geceyi işyerinin yakınında bir otelde geçireceğini söyledi.

Yani bir sonraki hamleme karar vermek için yarına kadar vaktim var.

<u>Cuma</u>

Galiba düşündüğümden daha fazla vaktim olacak. Bütün gece kar yağdı, sabah uyandığımda kar bir metreyi bulmuştu. Okulları bile tatil ettiler.

Belli ki bir KAR FIRTINASININ ortasındayız. Rowley dün gece arayıp tonlarca kar yağacağını söylemişti ama ona inanmamıştım.

Her yıl bu zamanlar Rowley beni arayıp çok büyük bir kar fırtınasının geleceğini söyler ama her seferinde yanılır. Birkaç yıl önce ailesi televizyondan bir eğlence programı kaydetmiş. Onların bunu kaydettiği gece ekrandan altyazı olarak "şiddetli kar yağışı bekleniyor" uyarısı geçmiş.

Şimdi o hava uyarısı program kaydının sürekli bir parçası tabii.

FIRTINA ALARMI: BİR METRE KAR BEKLENİYOR

Rowley ne zaman o programı izlese, beni arayıp fırtınanın yaklaştığını söylüyor. Eskiden boş bulunup inanıyordum ama Rowley yazın ortasında bu programı izleyip panik içinde beni aradıktan sonra ona inanmayı bıraktım.

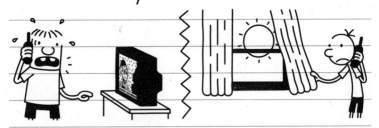

Kısacası görünüşe göre, kar hapsindeyiz
Normalde evde kaldığım için mutlu olurdum çünkü bu bana bütün gün Netcikler oynama şansı tanırdı.

Ama Manny sayesinde hesabım kilitlendi.

Birkaç gün önce, annem Manny'ye bilgisayar kullanmayı öğretmenin iyi bir fikir olduğuna karar vermiş. Ben okuldayken ona benim hesabımdan Netcikler oynatmış. Eve geldiğimde, Manny'nin bugüne kadar kazandığım her şeyi paraya çevirdiğini, sonra da Netcikler kumarhanesinde kaybettiğini gördüm.

İşin en kötü tarafı, Manny bir şekilde ŞİFREMİ değiştirmeyi de başarmış. Bu yüzden şimdi oyunu oynayıp kaybettiklerimi geri alamıyorum bile. Son birkaç gündür Netcikler'den siteye dönmem gerektiği konusunda e-postalar geliyor ama yapabileceğim bir şey yok.

Eğer en kısa sürede bir şeyler değişmezse, Bıcırık'ımın dayanabileceğini sanmıyorum

KİME: Heffley, Gregory
KİMDEN: Netçikler
KONU: İMDAT!

Sevgili Gregory,

GREGORY'NİN KÜÇÜK ARKADAŞI
seni özlüyor!

Sanal evcil hayvanın için,
çok geç olmadan, jeton al!

Manny'nin değiştirdiği tek şifre bu değil. Televizyonun ayarlarını da karıştırmayı başarmış ve "ebeveyn kilidi" özelliğini değiştirmiş.

Ebeveyn kilidi, anne babaların çocukların izledikleri şeyleri kontrol etmelerine olanak tanıyor. Ama Manny ayarları öyle bir değiştirmiş ki yalnızca ONUN en sevdiği programları izleyebiliyoruz. Teklif ettiğimiz bütün rüşvetlere rağmen, şifresini de söylemiyor.

Neyse ki hâlâ televizyonda oyun oynayabiliyorum. Ama annem kendine bir egzersiz oyunu almış, her gün bir saat boyunca benim sistemimi kullanıyor.

Birkaç hafta önce havalar soğuyunca, annem egzersiz oyununu ailece kullanmamızı istediğini, böylece kış boyunca aktif ve canlı kalabileceğimizi söyledi. Denedim ama ben oyun oynarken terlemeyi sevmiyorum.

Sorun şu: Oyun, her gün ne kadar egzersiz yaptığının kaydını tutuyor, annem de programı uygulamadığımı hemen anlıyor. Ama sonra bedenimi değil de kumanda aletini kullanabileceğimi fark ettim ve birkaç gün içinde oyundaki bütün rekorları kırdım.

Annem benim rekorlarımı görünce, bunları kırmak için hırs yaptı. İçimden bir ses her şeyi itiraf etmem ve onu kandırdığımı açıklamam gerektiğini söylüyor ama liderliği kazanmak için uğraşırken şimdiden üç kilo verdi bile. Bu yüzden bence ağzımı açmayarak ona iyilik yapıyorum.

Annem her zaman kanepede daha az vakit geçirmem ve daha hareketli olmam gerektiğini söyler. Ama ben, enerjimi ilerisi için sakladığımı düşünüyorum. Bütün arkadaşlarım seksenlerine geldiklerinde ve bedenleri iflas ettiğinde, ben her şeye yeni başlıyor olacağım.

Bu sabah annem, kar fırtınasının ne zaman biteceğini öğrenmek için hava durumu kanalını açmak istedi ama Manny ebeveyn kilidini kaldırmıyordu. Bunun üzerine annem mutfağa gidip radyoyu açtı.

Hava durumu sunucusu bu gece yarım metre daha kar yağabileceğini, böylece bu bölge yağan kar rekorlarının kırılacağını söyledi.

Bir yandan çok mutlu oldum çünkü bu, polis meselesiyle ilgili ne yapacağıma karar vermek için biraz daha zamanım olduğu anlamına geliyordu. Ama biraz da endişeliydim. Kar şimdiden posta kutumuza kadar yükselmişti ve hiç duracakmış gibi görünmüyordu.

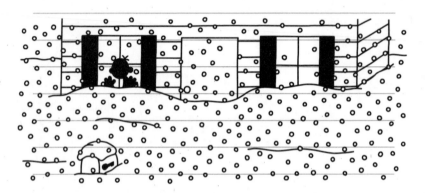

Ama annem karı kafaya takmıyordu. Bunun biraz dinlenip rahatlamak için iyi bir fırsat olduğunu söyledi ve benden depoya gidip bir yap-boz çıkarmamı istedi.

İyi de benim depodan yap-boz çıkarmam MÜMKÜN değildi ki. Büyük bir yap-boz fobim var benim çünkü bir keresinde bodrumdan bir ya-boz almıştım ve kutuyu açtığımda içinde BÖCEKLERİN yuva yaptığını görmüştüm.

Öğle yemeğinden sonra, annem okula gidemeyecek olsak da eğitimimizden geri kalmamıza izin vermeyeceğini söyledi. İki yüz yıl önce bütün çocuklar tek bir sınıfta ders görüyorlarmış. Şimdi aynı şeyi evimizde yapabilirmişiz.

Ama ben Manny'nin yaşındaki çocuklarla aynı sınıfta olsam kafayı yerdim.

" 'B'... BE BE BE..."

<u>Cumartesi</u>

Dün gece annem bizi eğlendirmek için bodrumdan bir şeyler getirdi. Bana altıncı doğum günümde hediye edilen sihirbazlık setini bulmuş. Bütün numaralar içindeydi hâlâ.

Bu sihirbazlık setiyle hiç oynayamamıştım çünkü o zamanlar içindeki talimatları okuyamıyordum. Ama bugün talimatları okudum ve birkaç numarayı denedim.

Masadaki Delik Numarası

İzleyicilere masada sihirli bir delik olduğunu ve plastik bir fincanı iterek bunu kanıtlayabileceğini söyle.

Bir plastik fincanın üzerine bir parça folyo koy ve sıkı sıkı sar.

Plastik fincanı kendine doğru kaydır ve kucağına düşür. Ama izleyiciler bunu yaptığını görmesin.

Boş folyo kılıfı aşağı doğru it ve aynı anda ayağa kalk.

Plastik fincan kucağından yere düşecek ve sanki masanın içinden geçmiş gibi görünecek. Yaşasın!

İlk numara çok iyi gitti. Manny'yi masada gerçekten bir sihirli delik olduğuna inandırdım.

Ama keşke bu numarayı Manny'ye yapmasaymışım. Annem banyoda yüzünü yıkarken, Manny tuvalet masasından onun gözlüklerini almış ve mutfağa getirip numarayı kendi başına yapmayı denemiş.

Annem banyodan çıkıp gözlüklerini aramaya başladığında, ona olanları anlatmak zorunda kaldım.

Annem, gözlükleri olmayınca adeta KÖR oluyor. Bu yüzden Rodrick ile bana, babam eve gelene ve kendine yeni bir gözlük alana kadar Manny konusunda ona yardım etmemizi söyledi. Rodrick bir an önce bitirmesi gereken ödevleri olduğunu söyleyerek bodruma kaçtı ve beni Manny ile yalnız bıraktı.

Manny'nin dişlerini fırçalamak ve giyinmesine yardım etmek zorundaydım. Sonra ona kahvaltı hazırladım. Kâseye biraz süt koydum ve üzerine de Manny'nin en sevdiği mısır gevreklerinden ekledim.

Manny önce sütü koymama bozuldu ve yaygarayı kopardı. Yanlış sırayla yaptığımı söyleyerek yeni bir kâse mısır gevreği istedi.

Ama ben bir kâse nefis mısır gevreğini ziyan etmek istemiyordum. Bu yüzden onun isteğini reddettim.

Annem neler olduğunu sordu, ben de Manny'nin sacmaladığını söyledim. Ondan bana destek olmasını ve Manny'ye mısır gevreğini bu şekilde yemesi gerektiğini söylemesini istedim. Ama annem kendisinin de önce süt konulması halinde yemeyeceğini söyledi.

Biliyorsunuz, eskiden yetişkinlere bilgelikleri nedeniyle saygı duyulurmuş ve insanlar onlara anlaşmazlıklarını çözmek için giderlermiş.

Artık dünya çok değişti. Çoğu zaman, sorumluluk gerçekten de büyüklerde mi olmalı acaba, diye düşünüyorum.

Annem duş almak için üst kata çıktı. İşi bittiğinde aşağıya seslendi ve banyoda hiç havlu olmadığını söyledi. Ben de havlu dolabından bir tane aldım ve ona vermeye çalıştım. Ama bunu yapmak zor oldu çünkü annem göremiyordu ve ben de gözlerimi olabildiğince sıkı yummaya çalışıyordum.

O sabah daha sonra Manny'nin tuvalete gitmesi gerekti. Annem benim de gidip onu "oyalamam" gerektiğini söyledi. İşte buna hayır dedim çünkü aklından ne geçtiğini biliyordum. Manny eskiden klozette otururken anneme kitap okuturdu ama artık bu huyundan vazgeçiyordu.

Manny'nin tuvalette işi bitince, annem ona yemek hazırlamam gerektiğini söyledi. Manny sosisli sandviç seviyormuş. Dolaptan bir tane alıp mikrodalga fırına koydum.

Annem, Manny'nin sosisli sandviçine hardalın sıkılma şekli konusunda takıntılı olduğunu, tam ortada düz bir çizgi istediğini söyledi. Manny'nin sabah kahvaltısında kopardığı yaygarayı tekrarlamasını istemiyordum. Bu yüzden hardalla olabildiğince düz bir çizgi çekmeye çalıştım.

Düz olduğundan da emindim.

Ama Manny yine öfke nöbeti yaşadı. Çizginin yeterince düz olmadığını sandım ve yeniden denemek için bir peçete alıp hardalı sildim. Ama galiba Manny sosisli sandviçin kirlendiğini düşündü. Ben de başka bir taneyi mikrodalga fırına koymak zorunda kaldım.

Bu kez hardal konusunda daha da dikkatli davrandım. Ama Manny'ye gösterdiğimde, sonuç bir öncekiyle aynı oldu.

Annem, bu işi nasıl yaptığımı tarif etmemi istedi. Ona, hardalla sosisli sandviç boyunca düz bir çizgi çizdiğimi söyledim.

Annem, Manny'nin hardalla dikey değil yatay bir çizgi istediğini açıkladı. Bunu yaptığımda, Manny nihayet sakinleşti:

Ne saçmalıklarla uğraşıyorum, görüyor musunuz? Benim yaşımdaki çocukların sihirli güçlere sahip olduğu ve sonra özel bir okula davet edildiği bir sürü film izledim. Eğer böyle bir davet alırsam, gitmek için bundan daha MÜKEMMEL bir zaman olamaz.

<u>Pazar</u>

Bu sabah saat onda, annem gidip Rodrick'i
uyandırmamı istedi. Alt kata iner inmez, bir
<u>terslik olduğunu anladım.</u>

Bodrumun zemininde bir KARIŞ su vardı.
Galiba yer o kadar karı daha fazla tutamamıştı
ve bodrumu su basmıştı.

Anneme hemen aşağıya inmesini söyledim.
Geldiğinde, bir sürü eşyanın mahvolduğunu
görüp çok üzüldü. Ama, dürüst olayım, suda
yüzen bazı şeylerin mahvolması benim hiç
umurumda değildi.

Annem çocuklarının her biri için bir "anı kutusu" tutuyor. Benimki en alttaydı ve nerdeyse tamamı suyun içindeydi. Kutudaki şeylerden biri, benim yatağımı ıslatma takvimimdi ve sekiz yaşımdan kalmaydı.

Kendimi savunmak için şunu söylemeliyim, o zamanlar yatağımı ıslatmak için iyi bir sebebim vardı. O günlerde geceleri yatmadan önce çok su içiyordum ve çişimi bırakmama neden olan sulu rüyalar görüyordum.

Sonunda meselenin ne olduğunu anladım ama o zamana kadar takvimde bir sırada üst üste beş çatık kaş olmuştu bile.

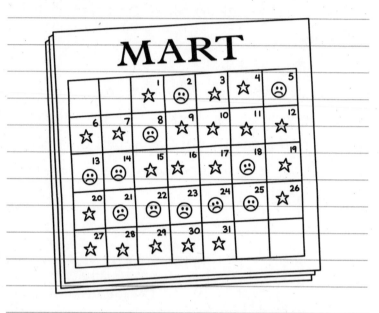

İlkokuldan kalma bazı yıllıklar da ıslanmıştı ama onlar da umurumda değildi.

Beşinci sınıf yıllığım anı kutusundaydı. O yıl okul resminde istediğimiz fonu kullanmamıza izin verilmişti.

Okulda "Doğal Ortam"ı tercih eden tek çocuk bendim.

Haverly, Jordan	Heath, Olivia	Heffley, Gregory	Henry, Jared

Benim de düz bir fon seçmem gerektiğini biliyordum ama okuldan formlar geldiğinde bunu bana annem önermişti.

BUNU SEÇ! ÇOK SERT GÖRÜNECEKSİN!

Annemin neden bu kadar üzüldüğünü anlamıyorum. Mahvolan eşyaların bodrumda olmasının bir nedeni vardı; onları HİÇ kullanmıyoruz. Annemin çok üzüldüğü şeylerden biri Gammie'nin bize altı yıl önce hediye ettiği "kaşık atlı karıncası" oldu.

Yanılmıyorsam dünyadaki her ülkeden bir kaşık almamız gerekiyordu ama biz yalnızca Kanada'dan alabildik.

Annem aile albümlerimizden birinin de mahvolduğunu görünce, onun için çok üzüldüm. Birkaç yıl önce annem bir sürü zamanını ayırdı ve resimleri kesip defterlere yapıştırarak bu şık albümleri oluşturdu.

Ama o albümde sevmediğim bir resim var çünkü Rodrick bununla ilgili olarak sürekli benimle dalga geçiyor. Bir panayırda midilliye binmeden önce kopardığım yaygarayı gösteren bir resim bu.

Gregory ilk midilli deneyiminde hiç mutlu değil.

Rodrick hep benim midilliden korktuğumu söylüyor ama bu pek doğru sayılmaz. Ben midilliyi idare eden ADAMDAN korkmuştum. Ama annem o adamı resimden kesmiş.

Rodrick'ten söz etmişken, su baskını onu pek rahatsız etmemiş gibiydi. Hatta iddiaya girerim, eğer onu uyandırmasaydım, yatağı sularda sürüklenip evin dışına çıksa bile uyumaya devam edebilirdi.

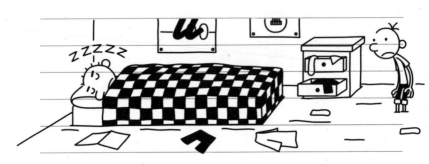

Günün geri kalanı çok kötü geçti. Bodrumdaki su giderek yükseliyordu. Manny'nin kum kovalarını bayrak yarışı gibi elden ele geçirerek suyu boşaltmaya çalışıyorduk.

Babam, nasıl olduğumuzu sormak için otel odasından telefon etti. Annem ona olanları anlattı. Babam yardıma gelemediği için çok üzgün olduğunu söyledi. Ama içimden bir ses halinden hiç de şikâyetçi olmadığını söylüyor.

Şu anda babamla yer değiştirebilmeyi o kadar isterdim ki. Çünkü tertemiz odada, kocaman iki kişilik yatakta tek başına yatıyor.

Annem, Rodrick ile bana, bodrumu su bastığı için birlikte BENİM odamda kalacağımızı söyledi. Bu, bir "oda arkadaşına" alışmamız açısından ikimiz için de iyi olacakmış, üniversite günlerimiz için alıştırma yapmış olurmuşuz.

Bu yaz bir hafta sonu Rodrick'le aynı odayı paylaştık. Annemle babam Manny'yi çocuk eğlence kampına götürdüklerinde, biz Gammie'nin evinde kalmıştık. Gammie'nin bir konuk odası var, bu yüzden birimizin kanepede uyuyacağını, diğerimizin de konuk yatağında yatacağını düşünmüştüm.

Ama Gammie konuk odasının "müsait" olmadığını, orada uyuyamayacağımızı söyledi. Bütün odayı, kendisine verdiğimiz köpek Aşki'ye tahsis etmiş. Köpeği görseniz tanıyamazsınız, büyükannem onu öyle bir besliyor ki hayvancağız patlamak üzere olan bir balon gibi görünüyor.

Gammie, Rodrick ile salondaki çekyat kanepede yatabileceğimizi söyledi.

Ama biz çocuklar üzerine bir şey dökeriz diye korktuğu için kanepeyi naylonla kaplamıştı.

Rodrick ile hafta sonunu çekyat kanepede yan yana uyuyarak geçirdik. Sabahları bir ter havuzunda uyanıyordum ve bunun hangimizin teri olduğunu anlayamıyordum.

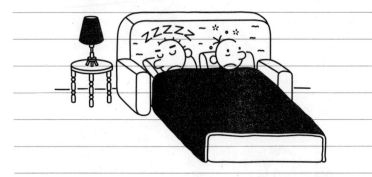

Eminim hapishanelerde ranzalar vardır. Yani beni hapse tıkarlarsa, bu yaz Gammie'nin evinde uyuduğumdan çok daha rahat uyuyabilirim bence.

<u>Pazartesi</u>

Rodrick ile on iki saat aynı odada kaldıktan sonra, kendi ayaklarımla karakola gidip kendimi ihbar etmeyi düşünmeye başladım. Çünkü akıllarına gelecek hiçbir ceza benim evde yaşadıklarımdan daha kötü olamaz.

Dün gece Rodrick bodrumdan eşyalarını getirip benim odama koydu. Bunun geçici bir durum olması gerek ama Rodrick sanki temelli benim odamda kalacakmış gibi davranıyor.

Rodrick'in baterisi düzgün durabilsin diye kitapların üzerine yerleştirildi. Kirli kıyafetleri de HER YERDE!

Bu sabah giyinirken, şifoniyerimin üzerinde duran külodu giydim. Bunun Rodrick'in kirli iç çamaşırı olduğunu anladığımda, artık çok geçti.

Ben de annem çamaşır yıkayana kadar Cadılar Bayramı kostümümü giymeye karar verdim. Rahatsızdı ama en azından TEMİZ olduğunu biliyordum.

Bu öğleden sonra, su baskınından kurtarabileceğimiz bir şeyler olup olmadığını görmek için bodrumdaydık.

Depoda suyun içinde yüzen tuhaf bir şey fark ettim. Elime aldığımda, perişan haldeydi.

Önce bunun gerçek bir bebek olduğunu düşündüm ama sonra uzun süredir kayıp olan bebeğim Alfrendo olduğunu gördüm.

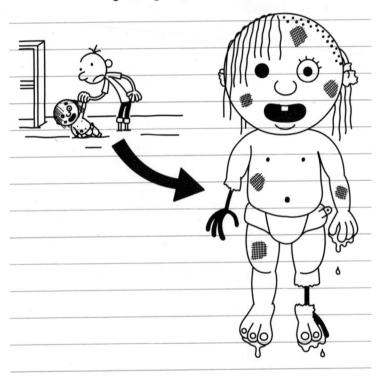

Bunca zamandan sonra, Alfrendo pek iyi görünmüyordu. Galiba bir farenin saldırısına uğramış. Suyun içinde bir gün geçirmek de ona pek iyi gelmemiş.

Ama böyle garip bir günde onu gördüğüme sevindiğimi söyleyebilirim. Yıllardır onu kaybetmiş olmanın vicdan azabıyla yaşıyordum. Şimdi bütün bu süre boyunca aslında evde olduğunu öğrendim.

Doğrusu, depoya nasıl gittiğini bilmiyorum. Ama sonra bunu BABAMIN yapmış olabileceği geldi aklıma. Bebek fikri en başından beri babamın hiç hoşuna gitmemişti. Eminim benim bakmadığım bir sırada Alfrendo'dan kurtulmaya çalıştı.

ALFRENDO KİRLİ BEZİNİN İÇİNDE ÇOK KALDIĞI İÇİN PİSİK Mİ OLMUŞ?

Eve geldiğinde, bebeğimi kaçırdığı için babamla yüzleşecektim ama şimdilik düşünmem gereken daha önemli meseleler vardı. Birincisi, ne YİYECEĞİM idi.

Son birkaç gündür yiyeceğimiz azaldı. Eğer kar erimezse, NE yaparız bilmem.

Fırtınanın çıktığı gün annemin alışveriş için markete gitmesi gerekiyordu. Bu yüzden en başında da her zamankinden daha az yiyeceğimiz vardı zaten. Annem, dışarı çıkabilecek duruma gelene kadar "idareli" davranmamız gerektiğini söyledi.

Ama bu biraz zaman alabilir. Kar kapımızın önünde bir buçuk metreye ulaştı, resmen içeri hapsolduk.

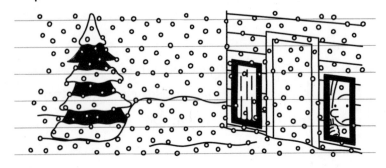

Rodrick de geriye KALAN erzağımızı mahvediyor. Sütü kutudan içiyor, ben de bir daha o kutuya elimi süremiyorum.

Babama çok kızgınım çünkü o olmasaydı, dilediğimiz kadar sütümüz olurdu. Birkaç yıl önce, panayırda bir yarışmaya katılmış ve bir yavru keçinin ağırlığını en doğru tahmin eden kişi olmuştum. Kazanana keçi armağan ediliyordu. Ama babam keçiyi eve getirmeme izin vermedi. Eğer şimdi o keçi bizde olsaydı, ne zaman istesem bir bardak sütüm olurdu.

Annem dün akşam buzdolabının dibinde hazır Meksika börekleri buldu ve akşam yemeğinde pişirdi. Ama tatları öyle garipti ki, yemek istemedim. Annem BİR ŞEYLER yemem gerektiğini söyledi, ben de ana yemek olarak ketçabı tercih ettim.

Manny böreklerden pek rahatsız olmamış gibiydi ama o, üzerinde en sevdiği çeşni olduğu sürece HER ŞEYİ yiyebilir zaten. Aşki bizimle birlikte yaşarken, mobilyaları kemirirdi. Biz de mobilyalara "Acı Elma Spreyi" denen bir şey sıkmaya başlamıştık. Köpekler bunun tadına dayanamazmış.

Fakat nedense Manny Acı Elma Spreyi'nin tadına bayılıyor ve o gündür bugündür yediği her şeyin üzerine bundan sıkıyor.

Aşki'den söz etmişken, bugün o kadar acıktım ki kilerin arka taraflarında bulduğum köpek mamalarının birazını yemeyi düşünmeye başladım.

Ama annem köpek mamalarının insanların yemeklerinden farklı standartlarda hazırlandığını söyledi, bu da mamaları yememi engelledi, en azından şimdilik.

Aşki büyükannemin evinde onun lezzetli
yemeklerinin tadını çıkarıp sefa sürerken,
benim burada açlıktan ölmek üzere olduğuma
inanamıyorum.

Yemek konusunda bütün suç benim gerçi. Şükran
Günü'nden bir hafta öncesine kadar bir sürü
konservemiz vardı. Ama ben hepsini ihtiyaç
sahiplerine dağıtmaları için okula götürdüm.
Böylece yemeyi sevmediğim şeylerden kurtulmuş
oldum.

Eminim bizim istemediğimiz yiyecekler şu anda birilerine çok keyifli anlar yaşatıyordur.

Tam diş macununun beslenme değerinin olup olmadığını düşünmeye başlamıştım ki, masamın çekmecesinde yenebilir bir şeyler olduğunu hatırladım.

Babam keçiyi panayırdan eve getirmeme izin vermediğinde, annem bunu telafi etmek için bana dev bir şekerleme almıştı. Bütün sonbaharı bunu yiyerek geçirdim.

Düşündüm de, eğer evde gerçekten yiyecek bir şey KALMAZSA, o şekerleme bir hafta daha hayatta kalmamı sağlamaya yeter.

Bu gece birkaç saniyeliğine elektrik kesildi ve geri geldi. Annem, kabloların buz tuttuğunu ve bir noktada elektriklerin uzun süreli de kesilebileceğini söyledi.

Böyle bir şey olursa, dondurucunun kapısını kapalı tutmalıymışız. Böylece içindeki yiyecekler çözülmez ve bozulmazmış. Isı kaybı olmaması için evin kapılarını da kapalı tutmamız gerekirmiş.

Manny çok bozuldu. Kendisi ne zaman korksa odasına gizlenir. Bir keresinde, o daha küçükken, bodrumda bir cadının yaşadığını söylemiştim. Ödü patladı. Birkaç saat ortadan kayboldu, sonunda onu çorap çekmecesinde bulduk.

Annem elektrik konusunda haklıydı. Onun tahmininden on beş dakika sonra elektrikler kesildi ve geri gelmedi. Annem elektrik şirketini aramaya çalıştı ama cep telefonunun şarjı bitmişti. Isı her saat biraz daha düşüyordu. Isınmak için battaniyelere sarınmak zorunda kaldık.

Manny bütün bu süre içinde odasından çıkmadı. Korkudan aklını kaçırdığından emindim. Ben de çok endişeliydim.

İnsan bu kadar alışık olduğu elektrikten birden mahrum kalınca, vahşi bir hayvana dönüşmesine bir adım kalıyor. Telefon ya da televizyon da olmadığı için, dış dünyayla bütün bağlantımız kesilmişti.

Sokağımızdaki karlar kürense, kendimi daha iyi hissedebilirdim. Çünkü en azından medeniyetin geri kalanıyla bağlantımız olurdu. Ama kar küreyen adamın en son bizim sokağa geleceğinden emindim çünkü ne zaman bizim tepeye tırmansa kartopu yağmuruna tutuluyor.

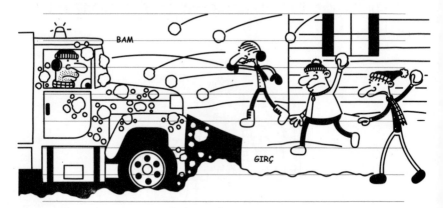

Uyanık kalmanın bir anlamı yoktu. Yatmaya gittim. Rodrick de birkaç dakika sonra arkamdan geldi.

İçerisi buz gibi soğuktu. Dondurucu soğukta ıssız bir yerde kalan ve vücut ısılarını korumak için aynı uyku tulumunun içinde uyuyan iki adamın hikâyesini hatırladım.

Rodrick'e bakıp bir an bunu düşündüm, ama sonra onurumun hayatta kalmaktan daha önemli olduğuna karar verdim.

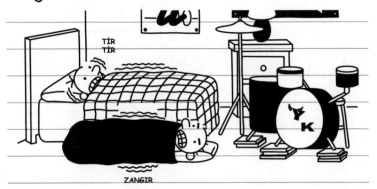

Tek söyleyebileceğim, hapishane BURADAN çok daha iyidir. Eminim insana sıcak bir hücre ve günde üç öğün yemek garantisi veriyorlardır. Bu yüzden eğer polisler tekrar gelirlerse, inanın bana onlarla seve seve giderim.

205

<u>Salı</u>

Bu sabah uyandığımda, Alfrendo'yu bir şekilde yine kaybettiğimi fark ettim ama pek üzülmedim. Dün bebeğime yeniden kavuştuğum için çok mutluydum ama kaldığımız yerden devam etmemiz kolay olmadı.

Bu sabah karın biraz hafiflediğini fark ettim ama elektrik hâlâ kesikti. Annem, kar eriyene kadar yeni koşullarımıza uyum sağlamamız gerektiğini açıkladı.

Bana birkaç gündür duş almadığımı ve "kokarca" gibi yaşayamayacağımı söyledi. Elektrik geldiğinde günde İKİ KEZ duş alacağıma söz verdim ama o yine de yıkanmam için üst kata gönderdi beni.

Hava buz gibi soğuktu, banyodaki tek havluyu da önceki gün annem kullanmıştı. Lavabonun altındaki dolapta bulduğum tülbentle kurulanmak zorunda kaldım.

Giyindikten sonra, kapının çalındığını duydum. Belki de polisler sonunda beni almaya gelmişlerdi. Başımın döndüğünü hissettim. Ama pencereden baktığımda, Rowley'in kapıda dikildiğini ve elinde bir şey olduğunu gördüm.

Rowley'in bizi KURTARMAYA geldiğini düşündüm. Ama kapıyı açtığımda, Rowley bize Noel kurabiyesi getirdiğini söyledi ve dışarı çıkıp oyun oynamak isteyip istemediğimi sordu. Ona kaçık olduğunu söyledim ve ailesinin elektrikler yokken nasıl idare ettiğini sordum.

Rowley onların evinde elektrik olduğunu söyledi. Sokaktaki herkesin evinde varmış. Gerçekten de sokakta evlerdeki Noel ışıklarını görebiliyordum.

Sonra Rowley kardan adam yapmak isteyip istemediğimi sordu. Kapıyı çarparak kapattım ve kurabiyelerden atıştırmaya başladım.

Anneme Rowley'in elektrikle ilgili söylediklerini ilettim. O da bana bodruma inip sigortalarda bir sorun olup olmadığına bakmamı istedi.

Kutuyu açıp sigortaları kontrol ettiğimde ne gördüm dersiniz....

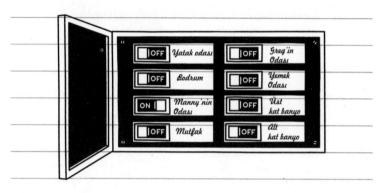

OFF	Yatak odası	OFF	Greg'in Odası
OFF	Bodrum	OFF	Yemek Odası
ON	Manny'nin Odası	OFF	Üst kat banyo
OFF	Mutfak	OFF	Alt kat banyo

Yalnızca Manny'nin odası AÇIKTI.

Üst kata koştum. Manny'nin odasının kapısını açtığımda, yüzüme bir sıcaklık çarptı. Manny yanında elektrik sobası, önünde bir yığın yiyecek ve DİĞER eşyalarla oturuyordu.

İşler kötüye gidince, Manny her koyun kendi bacağından asılır diye düşünmüştü anlaşılan. Demek kendi hayatta kalabildiği sürece hepimizin donarak ölmemize razı olacaktı.

Annem Manny'ye evin geri kalanının elektriğini neden kestiğini sordu. Manny de cünkü hic kimsenin ona ayakkabılarını bağlamayı öğretmediğini filan söyleyerek sacmalamaya başladı.

Annem Manny ile uğraşırken, ben bodruma indim ve evin geri kalanının sigortalarını actım. Elektrik geldi ve kalorifer yanmaya başladı. Birkac dakika sonra babam aradı. Yolların açıldığını, eve gelmekte olduğunu söyledi.

Pencereden dışarı baktım ve kar küreme aracının tepeyi tırmandığını gördüm.

Annem, babamın Noel'de evde bulunacak olmasının bir mucize olduğunu söyledi. O ana kadar bu günün önemini unutmuştum.

Babam eve gelirken yiyecek almış. Dördümüz aç kurtlar gibi yiyeceklere saldırdık. Bundan sonra yediğim her şeyin değerini bileceğim!

Annem, babamla birlikte çıkıp gözlük satan açık bir dükkân bulmaya çalışacağını söyledi.

Çıkmadan önce, bana Oyuncak Bağışı günü için karakola bir hediye götürmemi ve dışarıdaki kutuya atmamı söyledi. Çünkü bugün hediye vermek için son günmüş.

Ama ben karakolda görünmeye pek hevesli değildim. Noel'i hapishanede geçirmek gibi bir niyetim YOKTU hiç. Hediye bağışlamazsam bir çocuğu üzeceğimi biliyordum ama. Bu yüzden dolapta bir kar maskesi bulup taktım ve dışarı çıktım.

GARÇ

GARÇ

Karakola giden yol bitmek bilmedi. Güvenli olsun diye kutuya doğru son birkaç metreyi sürünerek katettim.

Ortalığın sakin olduğundan emin olunca, ayağa kalktım ve hediyeyi kutuya attım...

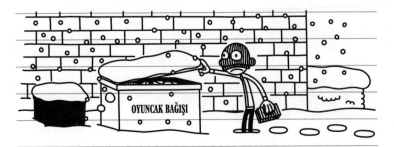

Sonra dönüp eve doğru yola koyuldum. Ama kilisenin yanından geçerken bir şey hatırladım. Cömert Ağaç'tan istekte bulunmuştum. Zarfımı bulan kişiden de benim için kilisenin arkasındaki geri dönüşüm kutusunun altına nakit para bırakmasını istemiştim.

Kilisenin otoparkı karla kaplanmıştı. Geri dönüşüm kutusunun kilisenin arkasında bir yerlerde gömülü olduğundan emindim ama tam yerini bilmiyordum.

Neyse ki bir duvara dayalı bir kürek buldum ve geri dönüşüm kutusunu bulmak için karları kazmaya başladım. Ama düşündüğüm yerde yoktu. ONU ararken KOCAMAN bir alanı açmış oldum.

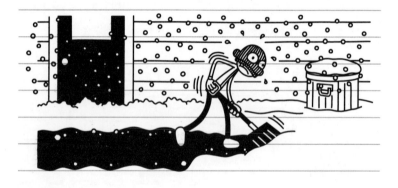

Keşke kilisenin binanın arka tarafına bağlı bir hortumu olsaydı. Bu işimi çok kolaylaştırırdı. Zarfı bulmayı çok istiyordum, bu benim kaçışımın başlangıcı olabilirdi. Yüksek miktarda nakit parayla birkaç hafta idare edebilirdim.

Sonunda geri dönüşüm kutusunu buldum ama altında zarf filan yoktu.

Eve dönerken moralim çok bozuktu. Beni görmesinler diye dikkatli olmayı filan unuttum. Bu yüzden kapıya geldiğimde ve hemen arkamda duran polis arabasını gördüğümde, çok hazırlıksız yakalandım.

Beni almaya geldiklerini düşündüm. İçeri koşup kapıyı kilitledim. Ama polisler kapıyı çaldıklarında, Rodrick onları içeri aldı.

Arka pencereden atlayıp kaçmayı düşündüm ama iyi ki bunu yapmamışım. Çünkü geri zekalı gibi görünecektim. Meğer polisler beni almaya gelmemişler. Sadece Oyuncak Bağışı için son dakika hediyelerini topluyorlarmış.

Belki de blöf yapıyorlardı. Oyuncak Bağışı'nı beni yakalamak için yem olarak kullanıyorlardı. Yine de sonunda kendimde kapıya gidecek cesareti buldum. Serinkanlı davranmaya çalışarak yanımda bağış için bir hediye bile götürdüm.

Polisler, kullanılmış bir bebeği bağış olarak kabul edemeyeceklerini, sadece orijinal ambalajlarındaki yeni oyuncakları kabul ettiklerini söylediler. Bence Alfrendo'dan korktular çünkü bir an önce bizim evden uzaklaşmak ister gibi bir halleri vardı.

Noel

Bu sabah uyandığımda Noel olduğuna, evimde olduğuma, elektriklerin kesik olmadığına, kaloriferin yandığına ve polisten kaçmadığıma inanamadım.

Ağacın altında bir şey olup olmadığını görmek için alt kata indim ve HİÇ hediye olmadığını görünce neye uğradığımı şaşırdım.

Önce bunun Noel Baba'nın Elçisi'nin suçu olduğunu düşündüm, başıma gelenleri ispiyonlamış olmalıydı. Ama birkaç dakika sonra annem aşağı indi ve Noel Baba'nın önceki gece GELDİĞİNİ, hediyeleri garaja bıraktığını söyledi.

Annemin söylediğine göre, kar fırtınası Noel Baba'nın programını alt üst etmiş. Bu yüzden hediyeleri paketleyecek vakti kalmamış ve hepsini çöp torbaları içinde garaja bırakmış. Bu bana pek mantıklı gelmedi ama o noktada yine de hediye aldığıma sevindim.

Ailenin geri kalanı da aşağı indi. Annem çöp torbalarını karıştırıp hediyelerimizi tahmin etmeye çalışarak eğlenebileceğimizi söyledi.

Paketleri açmak kadar zevkli değildi bu. Ama bence babam uğraşması gereken paket kâğıtları olmadığı için çok mutluydu.

Çöp kutusundaki hediyeler bitince, annem bana paketli bir armağan uzattı ve KENDİSİNDEN olduğunu söyledi.

Bu benim "Druid Kulesi" adlı çizgi romanımdı. Kafam karışmıştı. Annem, Kenny Centazzo'nun imzasını taklit ettiği için kendini kötü hissettiğini, birkaç hafta önce yazarın nerede olduğunu öğrendiğini ve bu kez kitabı gerçekten imzalattığını açıkladı.

219

Üç saat kuyrukta beklemek zorunda kalmış ama bunu benim için seve seve yapmış.

Ama kitapta yazana bakılırsa, Kenny Centazzo adımı doğru duymamış.

En Büyük Hayranım

Craig İçin

Kenny Centazzo

Umarım Craig adında, çizgi romanlara meraklı, zengin bir adam bulurum da kitabı ona yüklü bir fiyat karşılığı satarım.

Rodrick'e bir trampet ve bagetler, Manny'ye de bir sürü oyuncakla bir çift spor ayakkabı gelmişti. Annem dün Manny'ye ayakkabılarını bağlamayı öğretmiş olsa da, Manny bunu onun yapmasını tercih edecek gibi görünüyor.

Hediyelerimizi açmayı bitirince, annem kiliseye gitme vaktinin geldiğini söyledi. Ona gidemeyeceğimi, çünkü hiç temiz giysimizin olmadığını bildirdim. Ama annem o sırada son üç hediyeyi çıkardı.

Noel'i pijamalarımın içinde geçirmeyi seviyorum. Kıyafetlerimi giydiğim anda Noel sona ermiş gibi geliyor. Bu yüzden kıyafetlerimi pijamalarımın ÜSTÜNE giymeye ve eve döndüğümüzde kaldığım yerden devam etmeye karar verdim. Ama iki saat için, kadife pantolonun altına pazen pijama ve V yaka kazak giymek hataymış.

Kiliseden eve döndüğümüzde, üzerimi değiştirmek için üst kata çıktım. Ayakkabılarımın içinde bile terden gölcükler oluşmuştu. Bunları banyo lavabosuna boşaltmak zorunda kaldım.

FOŞ

Aşağı indiğimde, gazete mutfak masasının üzerinde duruyordu. İlk sayfada ne vardı bilin bakalım:

Daily Herald

Kimliği Belirsiz İyiliksever Yolu Temizledi

İyi Kalpli Biri Hayır Mutfağının Açılmasını Sağladı

Kasabada hayatı felç eden ve birçok hizmetin durmasına neden olan kar fırtınası hayır mutfağının da iptal edilmesine neden olacaktı. Birçok ihtiyaç sahibi Noel'de burada karnını doyurmayı umuyordu. Ama kimliği belirsiz bir genç, Noel'i burada karları küreyip yolu açmaya çalışarak geçirdi.

Devamı, GİZEM A2

Gazete haberi doğru vermemiş aslında ama şikâyet etmeyeceğim. Aslında, bu haber bana "Mahallenin Sesi"nin yeni baskısı konusunda ilham verdi. Bir TON kopya satabileceğimize dair bahse girerim!

Mahallenin Sesi

Maskeli Kahraman
Ortaya Çıktı

Noel'de karları küreyerek kilisenin yolunu açan gizemli iyiliksever bizim genel yayın yönetmenimiz Greg Heffley'den başkası değil. "Ben sadece işleri yoluna sokmak istedim," dedi Heffley, kendisine...

Devamı, KAHRAMAN A2

TEŞEKKÜRLER

Kitabımın çocuklara ulaşmasını sağlayan bütün öğretmenlere ve kütüphane sorumlularına teşekkürler.

Kahkahaları ve sevgileri için harika, kocaman aileme teşekkürler. Bizim gerçekten çok özel bi grubumuz var; hayatınızın bir parçası olduğum için kendimi çok şanslı hissediyorum.

Abrams'taki herkese yazar olma hayalimi gerçekleştirdikleri için teşekkürler. Tutkulu, kendini bu işe adamış editörüm Charlie Kochman'a, kitapları çok başka boyutlara taşıyan Michael Jacobs'a teşekkürler. Jason Wells, Veronica Wasserman, Scott Auerbach ve Chad W. Beckerman'a teşekkürler. Bu keyifli yolculuğu sizinle paylaşmak çok güzel.

Jess Brallier'a ve Poptropica'daki yetenekli ekibe, en çılgın zamanlarımdaki sabrınız ve anlayışınız, kendinizi çocuklar için harika bir içerik hazırlamaya adadığınız için teşekkürler.

Sylvie Rabineau'ya, muhteşem ajansıma, desteği, teşviki ve rehberliği için teşekkürler. Fox'ta Carla, Elizabeth ve Nick'e teşekkürler Greg Heffley'yi beyazperdeye taşımak konusunda benimle çalıştıkları için Nina, Brad ve David'e teşekkürler.

YAZAR HAKKINDA

Jeff Kinney online oyun geliştirmeci ve bir New York Times çok satan yazarıdır. Jeff Time dergisi tarafından Dünyanın En Etkili 100 Kişisi'nden biri seçildi. Aynı zamanda Time dergisinin en iyi 50 web sitesinden biri seçtiği Poptropica.com'un yaratıcısıdır. Çocukluğu Washington D.C.'de geçen yazar 1995 yılında New England'a taşındı. Halen güney Massachusettes'te eşi ve iki oğluyla birlikte yaşıyor.